동화림(冬話林) ; 겨울에 시작된 이야기 숲

동화림(冬話林) ; 겨울에 시작된 이야기 숲

권오영

김려원

박철용

文 景

표승희

제이엘

동화림(冬話林) - 겨울에 시작된 이야기 숲

글을 쓰고 싶은 사람들이 겨울에 만나
따뜻한 차 한 잔 마주할 시간이면 읽어낼
10 페이지 내외의 짧은 글을 엮어
책을 만들었습니다.

처음 학교에 간 날, 처음 운전 했던 날.
우리에게는 처음으로 겪는 일들이 있습니다.
모두에게 첫 책이라 그랬는지
7명이 약속을 한 것처럼
처음으로 겪는 일들이나 상황을 다룬 이야기를 쓰게 되었습니다.

땅이 해를 품을 수는 없으나
작은 웅덩이에 하늘이 담기듯
이 작은 책 속에
우리의 삶을 품은 이야기를
읽어 주시면 감사하겠습니다.

죽은 것 같이 보이는 겨울이
사실은 생동하는 봄의 전주곡인 것처럼
지금은 미약해 보이는 우리의 글을 읽어주신다면
격려의 씨앗에 싹을 틔워
더 성장한 좋은 글로 보답하겠습니다.

이 책이 나오기까지 지도해 주신
현해원 선생님께 이 자리를 빌려
깊은 감사의 인사를 드립니다.

- 동화림의 공동 작가 일동 올림.

차 례

한 청춘의 봄에 꽃이 피다

권오영

권오영　가지가 많았기에 미미한 바람에도 쉬이 흔들렸다. 갈 곳을 몰랐기에 바다 위에 돛단배처럼 표류했다. 시도하지 않고 걱정만 하던 지난날들이 후회로 점철되어 나의 온몸을 세차게 흔든다. 여전히 불확실하고 두려운 길 위를 걷는다. 그러나 더 이상 걱정은 하지 않는다. 나 스스로 떳떳한 길을 걷기 때문에. 펜을 놓는 순간까지 만족하지 못하는 메마른 갈증을 느끼기를 바란다.

죽음과 하이파이브하다

　숨이 내뱉어지지 않는다. 레귤레이터는 아무 이상이 없었다. 수심 30미터에서 갑자기 왜 그런 생각이 들었는지 모르겠다. 서둘러 내 상태를 알려야 했지만, 숨은 계속 들어오기만 할 뿐 나가지 못해서 머리가 하얘졌다. 공기가 가득 차 금방이라도 터질 것 같은 풍선처럼 나의 폐도 곧 터질 것 같은 느낌이 들었다. 여기서 이렇게 죽는구나 싶었지만, 주마등이 스쳐 지나가지도, 저승사자를 맞닥뜨리지도 않았다. 다행히 아직 죽을 때는 아니었던 듯하다. 다이빙 강사에게 다가가 올라가고 싶다는 수신호를 보냈다. 패닉 상태에 빠져 공포가 가득한 나의 눈을 본 강사는 우선 나를 진정시켰다. 강사는 자신의 호흡을 따라 하라는 수신호를 내게 보내고 천천히 숨을 들이마시고 내뱉기를 반복하였다. 그를 따라 호흡에만 집중했더니 내뱉어지지 않았던 숨이 조금씩 나가기 시작했다. 역시 강사는 강사였다.

　무사히 다이빙을 마치고 수면 위로 올라와서 생각했다. 만약 아까 바닷속에서 그렇게 죽었다면 어떻게 되는 걸까? 소름이 끼쳤다. 2019년 여름, 제주도의 바닷속에서 그렇게 죽음과 마주하였다. 사람은 죽음을 경험하면 자연스레 지나온 삶을 반추하는 것 같다. 자서전 쓰듯이 어떤 삶을 살았는지 돌아보았다. 나는 죽어 있었다. 생물학적으로 숨은 쉬었지만 인간이란 존재적인 차원에선 명백히 죽어 있었다.

나비도 태초엔 애벌레였다

나는 부정적인 사람이었다. 한창 꿈을 가지고 열심히 달려가야 할 10대와 20대 초반에 '몰라', '싫어', '귀찮아'를 입에 달고 살았으며, 침대에 누워있거나 PC방에서 게임하는 것이 하루의 전부였다. 몸과 마음이 건강하지 못했다. 명확한 목표도 없이 도망치듯 재수하였고, 그나마 들어간 대학교는 한 학기도 제대로 다니지 못하고 또다시 쫓기듯 입대하였다.

군대에 있던 시간은 지독히도 끔찍했지만, 돌아보니 조금씩 변화하게 된 시작점이었다. 매일 반복되는 고된 훈련과 작업으로 몸은 지쳤어도, 정신은 그 어느 때보다 맑았기에 '어떤 삶을 살 것인가?' 같은 진지한 고민을 하기 시작했다. 잘하는 것도, 좋아하는 것도 없었다. 그렇다고 자포자기할 수는 없었다. 더 이상 어린아이가 아니었고 이제는 도피처도 없었다.

일과를 제외한 개인 시간에는 TV를 보는 대신 운동으로 체력을 길러 몸을 만들었고, 독서를 하면서 정신도 수양하였다. 미래를 염두에 두고 꿈을 꾸기 시작했다. 그러나 새로운 도전을 하거나 경험을 쌓기엔 군대라는 곳은 제약이 너무 많았다. 그 안에서 할 수 있는 거라곤 몸과 마음을 다듬어서 사회에 나갔을 때를 준비하는 게 전부였다. 그래서 정말 지푸라기도 잡는 심정으로 치열하게 책을 읽었다.

나 자신은 내 삶이라는 작품의 유일한 화가다

생각하는 대로 살지 않으면, 사는 대로 생각하게 된다고 했던가. 책을 읽어보니 그동안 내가 얼마나 생각 없이 살았고 또 형편없는 사람이었는지 깨달았다. 나는 나로 존재하지 못했고 생각 또한 하지 못했다. 오랫동안 스스로를 부족하고 잘하는 것도 하나 없는 멍청이로 취급했다. 내향적이고 소극적인 성격 탓에 자신감도 부족했고 사람들에게 먼저 다가가지도 못했다. 내 의견을 말하기 어려워 주어진 것에 순응하며 그대로 답습했다. 나는 A가 좋았지만, '너는 A보단 B가 더 나아'라는 주변의 말 한마디에 '왜?'라는 의구심도 없이 B를 선택하기도 했다. 귀는 얇았고 줏대도 없었다. 남들의 시선과 평가에 연연하며 내가 진정 원하는 게 무엇이고 나는 어떤 사람인지 깊이 들여다보고 성찰하지 못했다. 이렇게 태어났기에 이렇게 사는 것이라고, 그러니까 지금처럼 살면 된다는 아주 잘못된 오류에 빠져 허우적거렸다.

자기들 입맛대로 함부로 나를 재단하는 주변에 더 이상 휘둘리고 싶지 않았다. 진짜 '나'와 마주하고 싶었다. 오랜 시간 나 자신으로 살지 못하고 늘 가면을 쓰며 때론 광대가 되었다가 때론 앵무새가 되었지만, 본연 그대로의 나를 마주하고 싶은 마음이 간절했다. 이런 바람이 목구멍을 타고 흘러나와 큰 소리로 외쳐져 허공에서 흩어진 순간, 그 즉시 진짜 나와 만나는 데 방해가 되는 모든 것들을 치워버렸다. 오롯이 나의 말, 나의 생각, 나의 욕망만 살피기로 했다.

나는 어떨 때 기분 좋고 행복한지, 내가 좋아하고 또 싫어하는 건 무엇인지 많은 시간과 에너지를 들여 찾고자 노력했다. 그렇게 차츰 내가 어떤 사람인지 윤곽이 잡히기 시작했다. 나는 남들이 정해주는 대로, 세상이 정의하는 대로 살아가는 것이 아니라 스스로가 원하는 바를 주도적으로 이루며 살고 싶어 한다는 것을 알았다. 다만 그렇게 하면 안 될 것 같다는 막연한 두려움이 나를 덮쳐 그 본심을 외면해왔던 것이다. 그러나 이미 흘러간 시간을 되돌릴 순 없다. 중요한 사실은 너무 늦지 않게 진짜 나의 모습을 발견했다는 것이다. 다시는 타인의 뜻대로 살아갈 수 없다고, 있는 그대로의 내 모습으로 인생을 주도하고 이끌 것이라고 다짐했다.

변화를 꾀하다

시간은 거침없이 흘렀고 마침내 전역을 하였다. 책에서 읽은 내용을 직접 실천할 때가 온 것이다. '지금 네 곁에 있는 사람, 네가 자주 가는 곳, 네가 읽는 책들이 너를 말해준다.'라고 괴테는 말했다. 나답게 살기 위해서 환경을 바꿔야 했다. 우선 내가 누구와 가장 많은 시간을 보내는지 생각했다. 가족을 제외하면 아무래도 친구들이었다. 그들과의 만남은 즐거웠지만 어느 순간부터 일회성 즐거움이란 생각이 들었다. 늦은 밤 친구들과 술 한잔하고 귀가하는 길이 더 이상 달갑지 않았다. 그리고 무엇보다도 그들과 있으면 내가 하나의 개별적 존재로서 존중받지 못하는 느낌을 강하게 받았다. 그들과 계속 함께한다면 나를 지우다 못해 결국엔 잃어버릴 것만 같았다. 획일적인 집단에서 모난 돌은 튕겨져 나가기 마련이다. 그래서 과감하게 튕겨져 나갔다. 미련도 아쉬움도 없이.

친구란 두 개의 몸에 깃든 하나의 영혼이라고 한다. 나이와 성별, 사회적 위치 같은 것을 떼고 내가 별이 되길 원할 때, 기꺼이 밤이 되어주고 또 그 역도 성립할 수 있는 그런 친구를 원했다. 내가 존중받고 함께 성장할 수 있는 사람과 만나고 싶었다. 인간관계는 유유상종이다. 내가 먼저 좋은 사람이 되면, 좋은 사람이 찾아온다. 또 내가 아직 좋은 사람은 아니지만 좋은 사람이 되고 싶다면, 먼저 좋은 사람을 만나는 것도 방법이다. 지금의 난 좋은 사람이 되려고 노력하고 있고 내 주변은 좋은 사람들로 채워지고 있다.

나로 살지 못했던 지난날에 내가 자주 있던 곳은 PC방과 당구장, 술집과 같은 유흥 시설이었다. 일회성 쾌락에 회의를 갖기 전 누구보다 일회성 쾌락을 즐겼다. PC방에서 몇 시간이고 게임을 했고, 내일이 없는 것처럼 부어라, 마셔라 했던 때도 많았다. 물론 사람이 살면서 어느 정도 유흥은 필요하지만, 그땐 지나치게 유흥만을 쫓았다.

사람은 자유 의지로 생각하고 행동한다고 믿지만, 우리의 뇌는 어리석을 정도로 주변 환경에 쉽게 영향을 받는다고 한다. 차가운 음료를 든 면접관보다 따뜻한 음료를 든 면접관이 면접 점수를 후하게 준다든가, 좁고 밀폐된 회의실보다 사방이 탁 트인 야외에서 회의했을 때, 더 창의적인 아이디어가 나온다는 연구 결과를 보면 그 사실을 알 수 있다. 오죽하면 맹자의 어머니가 맹자의 교육을 위해 세 번이나 이사를 갔을까? 사람은 경험한 만큼 성장하고 경험에 있어서 중요한 영향을 미치는 건 주변 환경이라고 생각한다. 검은 곳에 가면 검게 된다는 근묵자흑이란 사자성어는 정말 시대를 불문하고 통용되는 말인 것 같다.

과거의 나를 부정하고 싶진 않지만, 부끄럽고 후회되는 건 사실이다. 그러나 그런 시기가 있었기에 지금이라도 더 나은 사람이 되기 위해 노력하는 것이라며 생각의 각도를 긍정적인 방향으로 틀었다. 부끄럽고 후회되는 만큼 이제는 성장할 수 있고 자아가 반듯하게 자랄 수 있는 건설적인 공간이라면 가장 먼저 찾아가는 사람이 되고자 하는 마음이 크다.

성인 중 절반 이상이 1년에 책 한 권도 읽지 않는 시대가 왔다. 나 또한 입대하기 전에는 책을 거의 읽지 않았다. 재미도 없었고 왜 읽어야 하는지 이유도 몰랐다. 굳이 책이 아니어도 정보를 얻을 수 있는 수단이 넘쳐나고 오락적인 측면에서도 활자보단 영상을 선호했다. 하지만 책을 읽어보니 책의 중요성은 절대 간과할 수 없다. 영상은 아무 생각 없이 정보를 흡수하지만, 책은 비판적인 수용으로 스스로 생각하는 능력을 길러준다. 또한 책은 자신의 무지를 일깨워준다. 진정한 앎이란 아는 것은 안다고 하고, 모르는 것은 모른다고 하는 것이라고 한다. 모르면서 감히 아는 척을 하지 않기 위해 매일 책을 읽는다. 이렇게 직접 책을 써보니 세상의 모든 저자들이 새삼 대단해 보인다. 흩어져 있는 생각을 모아서 한 권의 책으로 엮기까지의 그 고통을 겪어보니 책 한 권, 한 권이 더 소중해졌다.

적극적으로 주변 환경을 바꾸면서 점차 다른 사람이 되어 갔다. 중심 없이 이리저리 휩쓸리던 내가 자신만의 색깔을 찾아 하나의 우주가 되었다. 새로운 나의 모습에 놀라기도 하고 미처 몰랐던 자아를 발견하면 마치 혼자만 알고 있는 비밀의 해변을 찾은 것처럼 기뻤다. 어쩌면 난 제주도의 그 바다에서 한 번 죽고 새로 태어난 게 맞는지도 모르겠다. 그 터닝포인트를 계기로 성장하는 삶, 도전하는 삶, 행복한 삶만 살 수 있을 것 같았다. 완전히 다른 사람이 된 것처럼 다른 인생을 향유하고 있었기에 앞으로 폭풍 같은 건 없을 줄 알았지만, 그것은 큰 오만이었다.

성장통을 겪다

"삶의 의의를 묻는 사람은 그것을 결코 알 수 없고, 그것을 한 번도 묻지 않은 사람은 그 대답을 알고 있는 것 같다." '생의 한가운데(루이제 린저)'에 나온 글귀다. 언젠가부터 열심히 달리고 있는 나에게 늘 따라붙는 질문이 있었다. '내 삶의 의의는 무엇인가? 더 나은 삶을 살고 성장하고 싶다고 했지만, 그 기준은 무엇이고 어떻게 측정할 것인가? 만약 성장을 이뤘다면 그다음은 무엇일까?' 꼬리에 꼬리를 문 생각은 결국 허무주의, 염세주의까지 이르렀다. 인생의 목적이 무엇일까 생각해 보았지만, 그것을 도저히 알 수 없었고 삶의 회의가 들었다. 중심의 소실이었다.

사회적으로 성공해서 많은 돈과 높은 명예를 얻는다면 행복할까? 표면적으론 그렇게 보일 수 있어도 실질적으론 그렇지 않을 것 같았다. 무소유까진 아니지만 최소한의 삶을 바라는 내게 돈은 배 곯지 않고 남에게 아쉬운 소리 안 할 정도만 있으면 충분하다. 내향적이고 내성적인 성격을 고려했을 때, 명예 또한 내 인생에서 꼭 필요한 요소는 아니었다. 오히려 그런 것들이 나답게 살고자 하는 삶의 욕구에 발목을 잡을 것 같았다. 돈과 명예는 성장하는 삶을 살면서 자연스럽게 따라올 테고 내 그릇에 맞게만 누리면 되는 것이라 여겼기에 더더욱 돈과 명예만을 좇는 주객전도의 삶을 살고 싶지 않았다. 이러한 생각은 '성공을 목표로 하지 마라. 성공을 목표로 겨냥할수록 빗나갈 가능성이 크다. 성공은 억지로 되는 일이 아니다. 저절로 따라오게 해야 한다.'라고 한 빅터 프랭클의 말과도 닿아 있다. 그러나 이런 확고한 신념과 가치관으로 무장했어도 마음은 매일 무너져 갔고 그 까닭을 알 수 없었다.

가끔 소설을 읽으면서 이런 생각을 한다. '소설가는 도대체 어떤 슬픔과 그리움을 품고 살길래 이토록 쓸쓸한 이야기를 담아낼까? 자신의 비애를 홀로 감당할 수 없어 독자로 하여금 그 슬픔을 전가하고 싶은 걸까?' 마음이 헛헛해질수록 이 생각은 또렷해져 갔다. 소설가가 되고 싶었다. 지금 겪는 이 무력감과 마음의 공허를 타인에게 전달함으로써 해방되고 싶었다. 그러나 그런 고통은 나만 겪는 것이 아님을 알기에 유난 떨고 싶지 않았다.

그러다 한 친구를 보면서 고민을 해결할 수 있는 약간의 힌트를 얻었다. 세상을 참 즐겁게 사는 놈인데, 늘 웃는 얼굴에 뭐든지 심각하게 고민하는 법이 없었다. 나이가 들어 점점 서로의 속 이야기를 잘 안 하기 시작하면서 개인적인 고충을 잘 몰라서 그런 것일 수도 있지만, 오랜 시간 옆에서 봐온 경험에 비추어 보면 그 친구는 순간순간을 즐기면서 사는 것 같았다. 삶의 의의가 무엇인지 한 번도 묻지 않았고 그래서 그 답을 알고 있는 것처럼 정말 편안하게 세상을 대하는 것처럼 보였다. 평일에는 열심히 일해서 돈 벌고, 주말은 자기가 좋아하는 잠을 실컷 자고 친구들과 즐거운 시간을 보내는 그 친구를 보면서 '저렇게 담박한 삶을 살면 마음이 허할 일도, 고민이 찾아올 틈도 없겠구나.'라는 생각이 들었다. 목표를 정하고 열심히 정진하면서 성장하는 것도 중요하지만, 그 과정이 되는 일상을 충만하게 누리는 것이 더 중요했다. 앞만 보고 달려가다 보니 정작 중요한 걸 놓치고 있던 것이다. 나는 지쳐 있었고 높은 곳만 바라보다 보니 디스크가 터져버렸다.

어떻게 살 것인가?

모든 인생은 고달프다. 특히 청춘의 인생은 더 고달프다. 내가 청춘이라서 하는 말은 아니다. 과거로 돌아갈 수 있다면 돌아갈 것이냐는 물음에 수많은 사람이 '그 고통의 시간을 다시 겪고 싶지 않다.'라고 답을 하는 거 보면 청춘이 얼마나 힘든 시기인지 충분히 짐작할 수 있다. '아프니까 청춘이다(김난도)'라는 책도 있지 않은가? 그러나 청춘은 한편으론 아름답다. 다만 청춘일 때는 그 아름다움을 모른다. 그 순간이 영원할 것만 같기 때문이다. 하지만 시간은 모두에게 공평하게 흐르고 때가 되면 청춘은 다음 청춘에게 그 자리를 넘겨줘야 한다. 청춘은 찰나보다 더 짧은 시간이라서 더욱 아름답다. 나는 지금 그 아름다운 순간의 한가운데 있다. 어른들이 흔히 말하는 '좋을 때다.'라고 하는 그때 말이다. 그런데 그렇게 좋은 순간을 허비하면서도 살았고 나름의 이유를 찾기 위해서 고군분투도 했다. 어쩌면 그 모든 과정이 지금의 깨달음을 위해서였던 것 같다.

과거, 현재, 미래 수많은 시간이 존재하지만, 내가 살아갈 수 있는 시간은 오직 현재인 지금뿐이다. 그 시간을 후회와 미련으로 낭비하느냐, 아니면 행복과 기쁨으로 채우느냐는 전적으로 나에게 달려있다. 이미 지나간 일, 내 손에서 벗어난 일을 붙잡고 있으면 혼란만 가중될 뿐이다. 손쓸 수 없는 일은 어떻게 해도 할 수 없다. 차라리 그 시간에 할 수 있는 것에 집중하는 편이 낫다.

아흔이 다 되신 우리 할아버지는 혼자선 거동을 못 하신다. 젊어서 무진장 고생하셔서 몸이 많이 상하기도 하셨고 교통사고로 척추 신경이 훼손이 된 탓도 있다. 아마 다시 걷기는 힘드실 것이다. 그럼에도 할아버지는 매일 같이 운동하고 재활치료를 받으신다. 그것도 아주 즐겁게 하신다. 그것이 할아버지 당신이 지금 할 수 있는 일이기 때문이리라.

삶에 정답은 없다. 완벽한 삶이란 것도 없다. 그런데 난 어리석게도 완벽한 삶을, 그 답을 찾으려고 발버둥 쳤다. 현시점에서 내가 내린 삶의 의의는 그저 사는 것이다. 고통이 왔을 땐 좌절하기보단 고통을 마주하여 그 고통을 극복하기 위해 노력하고, 행복이 찾아왔을 땐 두 팔 벌려 끌어안을 것이다. 인생을 살다 보면 분명 예기치 못한 행운과 벅찬 행복이 찾아올 테고 보란 듯이 그에 상응하는 시련과 고난도 찾아올 것이다. 그럴 때마다 일희일비하지 않고 그 순간 그저 내가 할 수 있는 것을 할 것이다. 할아버지가 그랬던 것처럼 말이다. 끝으로 이런 나의 마음을 잘 대변해 주는 릴케의 시로 글을 마치고자 한다.

인생이란

인생이란 꼭 이해해야 할 필요는 없는 것,
그냥 내버려두면 축제가 될 터이니.
길을 걸어가는 아이가
바람이 불 때마다 날려오는
꽃잎들의 선물을 받아들이듯이
하루하루가 네게 그렇게 되도록 하라.

꽃잎들을 모아 간직해두는 일 따위에
아이는 아랑곳하지 않는다.
제 머리카락 속으로 기꺼이 날아 들어온
꽃잎들을 아이는 살며시 떼어내고,
사랑스런 젊은 시절을 향해
더욱 새로운 꽃잎을 달라 두 손을 내민다.

〈나의 축제를 위하여Mir zur Feier〉의 제2판(1909)에서

개 같은 남자

김려원

김려원　　겨울에 태어나 얼음장 같은 마음으로 살아왔습니다. 개를 키우지만 개
　　　　　는 나를 키웁니다. 개를 사랑하지만 가끔은 질투합니다. 그래도 개는
　　　　　나를 병자처럼 사랑할 수밖에 없다는 믿음이 때때로 나를 미치게 합니
　　　　　다. 대체 무슨 짓을 해야 그걸 모두 갚을 수 있을까요. 나는 내 녹지도
　　　　　않은 마음을 성급히 개에게 바칩니다.

누군가 남자를 산채로 토막 내고 있었다. 아무리 비명을 질러도 소용없었다. 성대가 끊어지기라도 한 듯 목구멍이 턱 막힌 쇳소리만 새어 나왔다. 남자의 양쪽 다리가 잘리고 곧 오른팔도 잘려 나갈 참이었다. 회전하는 톱날이 불꽃을 튀기며 여린 살을 파고들자 남자는 눈을 번쩍 떴다. 꽉 막혀있던 목소리도 함께 터져 나왔다. 톱날은커녕, 웬 막대 같은 것이 모포 밑으로 들어와 그의 팔을 쿡쿡 쑤셔대고 있었다. 아직 꿈에서 덜 깨어난 남자는 엉망으로 팔을 휘둘렀고, 막대가 바닥으로 떨어짐과 동시에 누군가의 비명이 들려왔다. 모포를 들치자, 견사 한가운데에 방진복을 입은 여자가 엉덩방아를 찧으며 주저앉았다. 여자의 검은 목도리가 풀어져, 눅눅한 흙바닥 위로 곱게 펼쳐졌다. 남자는 목도리 끝을 신이 내린 동앗줄이라 여기며 꽉 움켜쥐었다. 지린내와 비린내, 개통 냄새가 풍기는 고약한 아침이었다.

당연히 죽은 개라고 생각했던 여자는 모포 안에서 살아있는 남자가 기어 나오자 너무 놀라 자빠지고 말았다. 남자는 눈도 제대로 못 뜨고 웅얼거리며 사방으로 팔을 허우적거렸다. 흐릿하던 남자의 초점이

맞춰지면서 여자와 눈이 마주치자, 남자의 눈엔 눈물이 차올랐다. 남자는 엉금엉금 기어가 여자의 발목을 부여잡고는, 콧물까지 찔찔 흘려대며 무어라 두서없는 말들을 쏟아부었다. 여자는 당황하며 주위를 둘러보다 다급히 남자의 입을 틀어막았다.

"살고 싶으면 조용히 해요."

여자의 비닐장갑에 입이 틀어막힌 남자는 미친 듯이 고개를 끄덕였다. 진정되지 않는 울음이 헐떡이는 숨과 함께 섞여 나왔다. 남자는 꼭 폐사 직전의 개처럼 보였다. 그의 입가엔 마른침 자국이 팻국물처럼 길게 눌어붙어 있었다. 여자는 어쩔 수 없이 또다시 죽은 뭉이를 떠올렸다. 개들도 다 안다고 했던가, 목숨을 구걸하는 남자의 눈이 개의 그것과 똑 닮아 있었다.

여자는 전에도 이상한 걸 본 적이 있었다. 지난여름, 처음 이곳에 봉사 활동을 하러 왔을 때였다. 생각 없이 걷는 바람에 가면 안 되는 구역에 갔고, 열면 안 되는 문을 열고, 보면 안 되는 것을 봤다. 여자는 한눈에 그 풍경을 이해할 수 있었다. 한여름에도 입김이 나올 정도의 온도를 만들기 위해 돌아가는 발전기 소리가 귓가를 웅웅 때렸다. 반짝이는 은색 테이블 위에 덮인 검은 비닐 밑으로 비쳐나온것의 정체를 깨달았을 때, 여자는 역시 그렇구나 하며 고개를 끄덕였다. 보통의 사람들 같았으면 그 자리에서 기절하거나 비명을 지르며 달아났을 수도 있었다. 하지만 여자는 조용히 돌아서서, 열리면 안 되었을 문을 굳게 닫고, 보여져서는 안되는 구역을 천천히 걸어 나와, 아무 일 없었다는 듯이 다른 봉사자들 틈에 섞여 들어갔다. 신고를 해야 하나 하는 생각이 잠시 들었지만, 언젠가 자신도 그 사이에 고요히 누워 있기를 비밀리에 바랐기에, 여자는 자신이 본 것을 아무에게도 말하지 않았다.

컹컹 개 짖는 소리가 낮은 산자락을 타고 울려왔다. 다른 사람들은 벌써 청소를 시작했을 것이다. 바닥의 똥을 줍고, 밤이고 낮이고 사람의 손길을 기다리던 버려진 개들과 함께 산책길에 나섰을 것이다. 여자는 여분의 일회용 방진복을 남자에게 입히고 마스크를 씌웠다. 이렇게 하니 봉사 온 사람들과 다를 것 없어 보였다.

여자가 남자를 보호소 밖으로 데리고 나가는 동안, 다른 봉사자들이 그들을 곁눈질하며 수군거렸다. 그들 중 누구도 남자를 알아볼 리 없었지만, 남자는 모두가 자신을 보며 손가락질하는 것처럼 느껴졌다. 행여나 어젯밤 자신을 쫓던 관계자와 마주칠지도 모른다는 생각에 내딛는 걸음마다 똥줄이 타들어갔다.

"저 미친 여자 또 왔네."

떨리는 다리로 자꾸만 발을 헛딛던 남자는 미친 여자라는 말에 멈춰서 여자를 돌아보았다. 여자는 아무 내색 없이 남자를 지나, 수군거리는 사람들을 지나, 유유히 걸어 앞으로 나아갔다. 그 고고한 뒷모습이 남자에겐 고독한 히어로처럼 보였다.

다음 생엔 개로 태어나게 해주세요. 안 태어나면 더 좋구요.

남자는 계약서 한구석에 마지막 한마디를 끄적이고 앞으로 영영 불릴 리 없는 이름 석 자를 휘갈겼다. 종이 위로 미끄러지던 볼이 말랐는지 마지막에 가서는 하얀 자국만 길게 이어졌다. 그래도 남자는 개의 치 않았다.

그는 개가 되고 싶었다. 아무것도 책임지지 않고, 의무라고는 정해진 곳에 쉬 싸기 말고는 없는, 하루에 열네 시간을 잠만 잘 수 있는, 자다가 하품만 해도 귀엽다고 사랑받는 그런 개. 그러나 사람이 어떻게 개가 될 수 있을까. 살아 숨만 쉬어도 내야 할 관리비가 초 단위로 쌓여갔고, 머문 자리마다 생활 쓰레기가 지천이었다. 원한다면 열네 시간을 내리 잘 수도 있었지만, 졸린 눈으로 하품한다고 해서 누가 귀여워해 주지도 않았다. 그 정도 객관성은 있었기에 남자는 빠르게 꿈을 접었다.

그러면, 지금 당장 개가 될 수 없다면 어떻게 해야 할까. 일단 이번 생은 영 틀렸다. 다음 생이라면 희망이 있을지도 모른다. 아예 안 태어날 수 있다면 더 좋고. 그러나 생과 사를 관장하는 누군가의 속내를 미천한 인간이 어찌 알 수 있으랴. 어떻게 될지는 아무도 모른다. 알아볼 방법은 딱 하나 뿐이지. 죽어보는 것. 그 생각이 머릿속을 스치자 아이러니하게도 한동안 죽어있던 그의 눈에 생기가 차올랐다. 남자는 손바닥을 치며 벌떡 일어났다. 죽자. 죽어보자. 죽어서라도 개가 되자. 아니면 뭐, 영영 잠드는 것도 나쁘지는 않겠지.

안락사가 합법적으로 시행된 지 꽤 되었지만 지나치게 까다로운 절차 덕에 병도 없고, 사지가 멀쩡한 사람은 죽는 것도 마음대로 못 하는 세상이었다. 거기엔 비싼 금액도 한몫했다. 죽기 위해 돈을 내야 한다니, 미친 거 아닌가. 이거야말로 자본주의의 끝판왕 아닐까. 살기도 좋은 모 국가는 죽는 것도 무료라던데. 하지만 자살은 무서우니까. 그렇게 생각하면 통 쳐도 될 것 같았다. '잘 사는 법'이 아닌 '잘 죽는 법' 따위의 책이 베스트셀러에 오르기도 했다. 인간 존엄을 핑계로 잘 죽을 권리를 외치는 사람들이 늘어났다. 막상 당장 죽을 처지에 놓인, 어떻게든 살고 싶어도 더는 가망이 없는 사람들의 이야기는 그늘에 가려졌다. 사람은 누구든 언젠가는 죽는다는 것이 이유였고, 생명 연장 기술의 진보와 선택적 죽음은 전혀 다른, 별개의 문제라는 주장이었다. 거센 찬반 논란의 파도가 한바탕 나라를 휩쓸고 나자 언제 그랬냐는 듯 세상은 다시 조용해졌다.

남자는 그런 현상을 여러 번 마주해왔다. 국민으로서 절대 몰라서는 안 되는 일인 것처럼 온갖 미디어에서 떠들어대다가도, 마지막은 늘 그렇듯이 똑같았다. 남자 역시 세상이 잠잠해지자 그럴 줄 알았다며 혀를 찼다. 하지만 이번엔 뭔가 조금 달랐다. 여느 때처럼 뇌리에서 지워버리는 대신, 남자는 조용해진 틈을 타 은밀히 그것을 조사했다. 조사라고 해봐야, SNS나 인터넷 커뮤니티에 올라오는 조각 정보들을 모으는 게 전부였지만.

나라에서 허용한 조건에 부합하지 않는, 소위 곱게 죽을 자격이 되지 않는 사람들은 씩씩거리며 익명 커뮤니티로 모여들었다. 저마다 자신들 생의 부당함을 토로하며, 생명의 무게를 저울질하는 심판관처럼 목에 핏대를 세웠다. 누구는 외국인 안락사 허용 국가로 답사 여행을 다녀오겠다며 모금을 개설하기도 했다. 알아서 다녀오면 될 것이지 모금은 왜 하는 건지. 남자는 의구심이 들었지만, 굳이 그것을 발설

하지는 않았다.

 언젠가, 사설 안락사 기관이 있다면 어떨 것 같냐고 묻는 글이 종일 화두에 오른 적이 있었다. 사람들은 그 비밀스러운 기관에 대해 괴담처럼 살을 붙여가며 떠들어대었다. 그중 가장 반응이 뜨거운 건 단연코 '이미 있어요.'라는 댓글이었다. 수많은 사람들의 질의가 쏟아지자, 작성자는 해당 댓글을 삭제했다. 남자는 그 댓글에 달렸던 글들을 기억했다. '아는 사람들은 다들 알아요, 이미 성행 중이에요, 진짜 간절하면 알게 되어 있어요……' 남자는 그 댓글들에서 힌트를 얻었다. 바로 간절한 사람들을 염탐하는 것. 그는 늦은 새벽까지 좌절에 빠진 수많은 사람들의 사적인 피드를 뒤적였다. 그가 찾는 정보는 그들이 올린 글의 댓글에 있었다. 익명이나 가짜인 게 분명해 보이는 이름으로 달리는 한 줄짜리 광고. '당신의 고민을 편안하게 해드립니다.' 라거나, '마음 놓고 쉴 곳을 마련해 드립니다.' 처럼, 그들의 고통을 통감하고, 이해하고, 치유해 줄 것만 같은 문구들. 남자는 그것들에 집중했다. 때로는 값비싼 상담 기관으로 연결되거나 영생이 어쩌고 하는 사이비 단체 페이지가 걸리기도 했다. 사람 등쳐먹는 나쁜 놈들이라고 남자는 생각했다. 자기는 절대로 그런 속임수에 빠지지 않겠다며 노란색으로 반짝이는 배너를 피해 페이지 뒤로가기를 눌렀다.

 하루에도 수없이 많이 쏟아지는 헛된 정보의 홍수 속에서 진짜를 찾아내는 일은 결코 쉽지 않았다. 병원이나 여느 맛집처럼 후기를 얻을 수도 없었다. 죽은 자는 말이 없었고, 증인들은 그들이 가담한 행위를 감추기 위해 하나같이 입을 다물었다. 어쩌다 아는 사람만 알아챌 수 있는 뉘앙스의 글이라도 올라오면, 정보나 쪽지 좀 달라는 댓글들이 수두룩하게 달리곤 했다. 남는 게 시간뿐인 남자는 실시간으로 올라오고 삭제되는 글들을 보고 또 봤다. 언제 삭제될지 모르니 글을 클릭할 땐 새 페이지로 여는 것도 잊지 않았다. 그런 식으로 남자의 노트북 속엔 수없이 많은 탭이 열려있었다. 이렇게 해 두면 마치 시간이 멈춘 것처럼 삭제된 글도 여유 있게 둘러볼 수 있었다. 페이지를 나가거나 실수로 새로고침만 하지 않는다면. 시간은 상대적이라더니, 남자는 과거의 글을 모아둔 탭을 접고 실시간으로 올라오는 댓글들을 살폈다. 그중에서도 유독 눈길을 끄는 댓글이 있었다. '도와드리고 싶습니다. 여기로 전화 주세요.' 그 댓글을 보는 순간 남자의 심장이 뛰었다. 설명할 수 없는 확신에 찬 남자는 재빠르게 열한 자리 번호를 메모했고, 술 한잔 걸치지 않은 맨정신으로 전화를 걸었다.

브로커는 찾아오시는 길이 어렵지는 않았냐며 커피 믹스를 휘휘 저어 테이블 한쪽에 내려놓았다. 옆에는 계약서와 볼펜이 놓여졌다.
"원래는 훨씬 더 까다로운 거 아시죠?"
그의 물음에 남자는 고개를 끄덕였다. 브로커는 이 일을 이미 수도 없이 해왔던 것처럼 태연하게 굴었다. 외진 곳도 아닌, 빌딩 숲 사이에 이런 곳이 존재할 거라곤 생각지도 못했다. 경기가 좋지 않은 건지 제법 큰 건물임에도 공실이 많아 보였다. 엘리베이터에서 내려 1304호를 찾기까지 폐건물에 잘못 들어온 건 아닌가 하는 생각도 들었다. 깊숙한 복도 안쪽으로부터 울려 퍼지는 라디오 소리가 아니었다면 남자는 그대로 발길을 돌렸을 지도 몰랐다.

브로커의 사무실에는 당장이라도 짐을 챙겨 탈주할 수 있을 것 같은 작은 책상과 손님용 테이블, 낡은 페브릭 소파가 단조롭게 놓여있었다. 사무실의 냉기가 남자의 옷깃 사이로 스며들었다. 겨울이라고는 하지만 바깥 보다 건물 안의 공기가 훨씬 더 차갑게 느껴졌다. 남자는 목을 움츠리고 두터운 점퍼를 여미며 팔걸이 쪽으로 엉덩이를 밀어 앉았다. 시뻘건 전열기가 마주 앉은 브로커의 살짝 벗겨진 머리를 구워삶고 있었다. 반질반질한 이마를 보고 있자니 맥반석 계란이 생각나기도 했다. 브로커는 뭐가 그리 즐거운지 콧노래까지 흥얼거렸다.

"혼자에요? 부모나 형제자매도 없고? 다른 가족이나 애인은……"

내심 너무 젊은 사람이 왔다고 만류하는 건 아닐까 했던 고민이 무색하도록, 돈 앞에서 만인은 평등해 보였다. 남자는 열심히 고개를 저었다. 아빠는 누구인지도 모르고, 엄마는 할머니에게 그를 버리고 달아나 죽었는지 살았는지 알 수 없었다. 형제자매는커녕, 자신을 홀로 키운 할머니마저 세상을 뜨자 그는 스물이 넘어서야 마침내, 천애고아가 될 수 있었다. 꼴에 연애는 또 어떻게 했던 건지, 네가 없으면 죽네 사네 하던 여자 친구도 더는 미래가 없다며 그의 연락을 받지 않은지 벌써 1년이나 지나 있었다.

그 사이 그녀의 인스타 속엔 새로운 남자가 등장했다. 남자가 마지막으로 확인한 피드는 약 한 달 전 즈음 두 사람의 웨딩 촬영 사진 이었다. 그 마저, 염탐할 목적으로 만들었던 부계정이 아니었다면 볼 수 없었을 것이다. 여자 친구, 아니지, 이제는 다른 사람의 예비 신부인 그녀의 환한 얼굴에 남자는 깊은 한숨을 내쉬었다. 마치 그녀가 자신을 기억하지 못하는 전생의 연인이라도 된다는 듯이. 하지만 세상은 남자에게 그럴싸한 주인공 자리를 내어주지도 않았다. 남자는 그래도 혹시 모를 흔적을 찾아 피드를 뒤적거렸다. 어딘가 한 장쯤은 미처 지우지 못한 사진이 있을지도 몰랐다. 자신과 그녀가 한 때 연인이었음을 반증할 수 있는 최후의 수단이.

빠르게 피드를 훑던 손가락이 특정 사진에서 멈췄다. 그녀가 키우던 개 사진 이었다. 팝콘 같은 머리에 밤톨 같은 코가 콕 박힌 하얀 개. 남자는 개의 얼굴 밑으로 툭 튀어나온 짙은 남색 무릎을 확대했다. 무릎 위의 개를 감싸 안은 손가락이 보였다. 과도하게 확대 된 탓에 형체가 조금 흐릿했지만, 그건 아무리 봐도 자신의 손가락 이었다. 남자는 무언가 생각난 듯 휴대전화 사진첩을 뒤적였다. 작년 봄 즈음, 개의 생일이라고 반려동물 전용, 작은 스튜디오에서 여자 친구와 함께 기념으로 찍었던 사진 이었다. 하얀 양털 러그 위에 서로 사이좋게 기대어 팔짱을 낀 두 사람, 그리고 남자의 무릎에 엎드려 있는 개. 남자는 다시 여자 친구의 인스타로 돌아갔다. 분명 똑같은 사진 이었지만, 남자의 정체는 알아볼 수 없게 얼굴도, 몸통도 잘리고, 오직 그 위대한 탄생일을 맞이하신 개님만 크게 확대되어 있었다. 남자의 마음은 도륙당한 사진처럼 사방으로 잘려 나갔다. 개 생일 그게 뭐라고, 사진 한 장 온전히 남기지도, 지우지도 못하고. 남자는 기가 차 울어야 할지 웃어야 할지 몰랐다. 그럼 남자의 생일엔 무얼 했더라. 아, 그 전에 헤어졌지...... 그러니 마침내 그는 혼자였다.

"맞아요, 혼자 살다가 갑자기 죽으면 그거 누가 책임져 주기라도 한답니까? 잘 찾아오셨어요. 빠르고 안전한 죽음을 택하는 건 지능 순이에요, 지능 순."

브로커는 인심이라도 쓰듯 인생 일대의 기회처럼 아무런 문제 없이, 고통도 없이, 스스로의 선택으로 생을 마감할 수 있다며, 존엄사야말로 인간이 궁극적으로 누릴 수 있는 최고의 권리이자 가치라고 침을 튀겨댔다. 남자에겐 그런 것은 아무래도 좋았다. 그는 지쳤고 낡았다. 겉모습만 젊은이지 속에는 아흔 살 먹은 노인네가 들어앉은 게 아닐까 싶을 정도로 무력하기만 했다.

"안경은 안 쓰시나 봐요?"

계약서를 끄적이는 남자에게 브로커가 물었다.

"안경이요?"

"아니 거, 요샌 눈 나쁜 사람들이 하도 많아서."

"저, 눈은 좋은 편이라......"

"어이구, 로또 맞았네."

"로또요?"

"요즘은 라식, 라섹 많이들 하잖아요. 돈 벌었지, 뭐. 아니면...... 이미 하셨나?"

브로커는 남자의 눈에서 힌트를 찾으려는 듯 그의 얼굴을 살폈다. 곧 죽을 사람인데 라식을 했든 라섹을 했든 그게 무슨 상관일까. 제 각막에 관심 있으세요? 남자는 무례한 농담을 하는 대신, 멀뚱멀뚱 쳐다보다가 고개를 저었다. 브로커는 마저 작성하라는 듯 손끝으로 탁자를 두어 번 두드렸다. 다시 계약서를 훑던 남자의 펜이 특이 사항란에서 멈춰 섰다. 나이와 혈액형, 사고를 당하거나 수술한 이력은 없는지, 했다면 시기와 부위, 질병이나 가족력에 대해 조사하는 항목이 나열되어 있었다. 사인을 앞두고 남자가 망설이는 듯이 보이자, 브로커는 지병 없이 건강하다면 신경 쓸 것 없다며 손사래를 쳤다.

"신장 두 개 다 잘 붙어있죠?"

"네?"

"아 건강하면 됐다고, 농담이요 농담. 긴장 좀 풀으시라고......"

브로커는 껄껄 웃으며 땀으로 반딱거리는 이마를 문질러 닦았다. 불치병이나 시한부인 사람들이 찾아오는 경우가 많아 만들어둔 항목이라는 말에 남자는 생각 없이 고개를 주억거렸다. 마지막 서명을 끝낸 남자는, 마치 남자처럼 마르고 닳아 더는 나오지 않는 펜을 천 년 묵은 짐처럼 내려놓았다. 이제 다 끝난 것 같았다. 남자는 한숨을 쉬며 현금이 들은 두둑한 봉투를 안주머니에서 꺼내 들었다.

"그, 저기......"

"뭐 궁금하신 거 있으세요?"

"혹시 실패하는 경우도 있나요? 다시 살아난다거나......"

남자의 말을 들은 브로커의 눈이 커졌다. 살아난다니 그게 무슨 소리람? 그는 남자가 무슨 말을 하는 건지 깨달았을 때 큰 소리로 웃음을 터트렸다. 영문도 모르고 눈알만 굴리는 남자의 손에 들려있던 돈 봉투는 브로커의 헛기침 소리 한 번에 감쪽같이 사라졌다. 남자는 텅

빈 손을 물끄러미 바라보았다. 그것참 귀신같네. 브로커는 탁자 아래에서 지폐계수기를 꺼내어 액수를 세기 시작했다.

"걱정 마세요, 살아서 걸어 나간 사람은 단 한 명도 없으니까."

남자는 왜 그 말에 뒷덜미가 서늘해졌는지 이유를 알 수 없었다. 그것이 그의 목적이었음에도 불구하고. 고요한 사무실 내에 좌르르 돌아가는 계수기 소리가 마치 필름 영사기처럼 현실성 없게 들렸다. 남자는 자신의 생이 영화라면 결말을 알기 전에 필름을 끊어버려야 할 타이밍이라고 생각했다.

남자는 할머니에게 물려받은 약간의 유산에 아등바등 겨우 모은 돈을 합쳐 총 삼천만원을 브로커에게 쥐여주고는, 죽을 날만을 얌전히 기다렸다. 장소나 시설, 절차는 모두 보안을 위해 추후 통보된다며 비밀에 부쳐졌다. 불법 시설임에도 보안이라는 그럴싸한 단어를 쓰는 것이 조금은 어처구니없었지만, 남자는 그의 말을 철석같이 믿었다. 다음 달 월세와 두어 달 치 식비, 생활비 일부를 남기고는, 생판 남에게 전 재산을 털어 쥐여주고도 별 의심조차 하지 않았다. 딱히 불안해하지도 않았다. 죽기 전에 꼭 뭘 해야겠다는 욕심이나 포부도 없었다. 어차피 더 나아질 것도 없는 삶인데 좋은 것 맛본다고 해서 뭐가 달라질까.

삼천만원에는 안락사 비용과 장례 및 화장 비용까지 모두 포함되어 있었다. 그 큰돈을 한 번에 미리 지불해야 하는 것이 그리 달갑지는 않았지만, 안락사라는 특성상 후불일 수도 없었을 것이다. 누군가는 삼천이면 죽어가던 사람도 살릴 금액이라 했겠지만, 남자는 생을 유지하기 위해 새로운 그 어느 것도 시도하고 싶지 않았다. 그가 좋아했던 것들은 모두 남자를 떠났다. 좋아하던 음식점은 단골이 되기로 결심 하자마자 문을 굳게 닫았고, 자주 가던 카페들도 신생 프랜차이즈로 바뀌기 일쑤였다. 입맛이나 취향도 그의 선택이라면 저주라도 받은 듯이 자취를 감추고 마는데 사업이라고 다를 게 있을까. 투자는 말할 것도 없고, 망할 것이 분명한 자영업에 뛰어들고 싶지도 않았다.

개의 방석만도 못한 놈이 되어있던 날, 남자는 전 여자 친구의 남편이 될 남자 보다도 그녀의 개를 더 부러워했다. 나가서 밥벌이를 해 올필요도 없고, 누워있다가 고개 한 번 들어 눈 맞추는 것 만으로도 그녀의 사랑을 듬뿍 받을 개.

"네가 하는 게 뭐가 있다고, 대가리도 나 보다 큰게......"

남자는 사진 속에 솜사탕처럼 한껏 부푼 개의 머리를 보며 유치한 소리를 지껄였다. 비스듬히 앉아있는 방바닥, 아무렇게나 펼쳐진 노트북엔 쓰다 만 자기소개서가 띄워져 있었다. 아무리 머리를 쥐어짜도 더 이상 쓸 말이 없었다. 남자는 다시 휴대전화 화면을 흘겨보았다. 저 개새끼는 좋겠다. 개새끼라서 좋겠다. 개새끼. 사진 속 개새끼는 빨간 혀를 내밀고 남자를 놀리듯이 웃고 있었다. 개를 노려보던 남자는 갑자기 노트북을 집어 들고 불같은 속도로 타이핑 해 나갔다. '개처럼 놀고 먹고 싶습니다. 누가 먹여주고 재워주면 좋겠습니다. 잠만 자고 똥만 싸도 잘했다며 돈을 주면 좋겠습니다. 혹시 그게 당신네 회사가 될 수는 없을는지요......'

그즈음 생에 처음으로 남자는 목표 의식이라는 걸 갖게 되었다. 개처럼 아무 의무나 책임 없이 놀고먹을 수 없다면, 그만 이 생을 끝내는 것. 마치는 것. 하지만 죽고 싶다고 해서 꼭 생각이 자살로 이어지는 건 아니었다. 적어도 지금은, 그런 시대는 지난 지 오래였다. 자살이라니, 그에게는 그럴만한 용기도 없었다. 줄줄이 퇴짜 맞은 면접에서도, 불공정한 갑질 횡포 앞에서도, 있는 돈 없는 돈 긁어모아 자신을 혼자 키웠던 할머니의 빈소에서도, 그저 배운 대로 90도 허리를 굽히고 감사하다는 말 밖에는 할 줄 아는 게 없었다. '사람은 참 착한데......' 간혹 그의 주변 사람들이 그를 안타까운 눈으로 훑으며 수군거리곤 했지만 남자는 그것 역시 개의치 않았다. 줄임말 뒤에 숨겨진 의미를 그도 모르지 않았다. 동정을 받기엔 그 보다 훨씬 더 불행한 삶을 사는 사람들이 많았고, 그렇다고 관심의 대상이 될 수 있을 만큼 눈에 띄는 타입도 아니었다. 늘 있는 듯 없는 듯. 학창 시절엔 그것이 인생의 모토라며, 이름표가 없고 복장이 불량해도 교문 앞에서 걸리지 않는걸 자랑하듯 말 하고 다니기도 했다. 지각을 하거나 몰래 교실을 나서도 누군가 그의 빈 자리를 알아차리기까지 한참이나 걸렸다. 심지어 사무실에 빈 의자만 덩그러니 돌고 있어도, 아무도 그것에 대해 뭐라 하지 않았다. 별 볼 일 없는 사무직에서 해고 당하던 날, 짐을 챙겨 나가는 길목에서 타 부서 직원에게 '어, 새로 오셨어요?'하는 말까지 들었다. 이렇게 존재감이 없을 거라면 무엇을 위해 존재하나. 남자는 종종 생각했다. 최초에 물음이 있었다면, 기필코 태어나지 않았으리라고. 태어나지 않을 권리가 있어야 했다고. 빨간약, 파란 약을 건

네발은 네오에게 선택권이 있었듯이, 빨간 휴지 파란 휴지를 흔들어 대던 화장실 귀신처럼 예의상 물어라도 물어봤어야 하는 거 아니냐고, 그는 어디에 해야 좋을지 모를 원망을 남몰래 가슴 가득 품고 있었다.

마을버스에서 내려 어둑한 시골길을 따라 한참을 더 걸어 올라가서야 남자는 그곳에 도착할 수 있었다. 혹시나 길을 잃거나 헤맬 수도 있으니 일찍 출발하길 잘했다고 남자는 생각했다. 한밤중이 아닌데도 해가 일찍 지는 바람에 기온이 뚝 떨어졌다. 낮은 산자락에서 간간이 불어오는 바람이 매섭게 남자의 뺨을 스쳤다. 남자는 코를 훌쩍이며 마지막일지도 모를 걸음을 걸었다. 바닥에 깔린 자갈들이 부딪히며 남자의 걸음을 더디게 만들었다. 그래도 남자는 꿋꿋이 걸었다.

비탈진 오르막길 모퉁이를 돌자 돌연 개 짖는 소리가 들려왔다. 한 마리가 짖자 세상 모든 개 들이 다 따라 짖었다. 개 짖는 소리는 남자 주변으로부터 그가 걸어온 먼 길까지 전염병처럼 퍼져나갔다. 뺨을 치고 가는 바람 만큼이나 날카로운, 낯선 이를 향한 개들의 포효가 남자의 뇌를 흔들어 깨웠다. 남자는 주춤거리다 잠시 멈춰 서서 주변을 둘러보았다. 흐릿한 불빛이 닿아있는 철장 마다 개들이 그득했다. 대충 봐도 수십 마리는 넘어 보였다. 작은 개부터 큰 개까지, 다양한 종류와 크기에 비해 하나같이 구정물에 구른 듯 더럽고 비쩍 말라 있었다. 철창 앞의 큰 개들은 죽어라 짖어댔고 그 뒤에 몇몇은 그럴 힘도 없는지 꼬리를 말아 감추고 멍하게 서 있었다.

"뭐, 너네도 죽으러 왔냐?"

남자는 출렁이는 철창에 대고 비아냥거렸다. 왜인지 기분이 나빴다. 푹신한 침대에서 평화롭게 죽을 거라고 생각했던 남자의 예상과 달리 그의 안락사를 집행 할 사람은 의사나 전문 기관의 숙련자가 아니었다. 남자는 헛웃음이 났다. 개처럼 살고 싶댔지 누가 개처럼 죽고 싶댔나. 그는 아랫입술을 씹으며 브로커에게 받았던 문자를 다시 꺼내 보았다. 맞게 찾아온 것 같긴 한데 뭔가 께름직했다. 하지만 환불도 안될텐데, 피 같은 돈 삼천만원을 죽지도 못하고 그냥 날릴 수는 없었다. 남자는 견사 옆에 붙어있는 하얀 건물을 지나 뒤쪽으로 나 있는 샛길 입구까지 다다랐다. 개 짖는 소리도 조금은 잦아들었다. 안쪽으로 조금 더 들어간, 산으로 이어지는 길목 중턱으로 멀리 붉은색 컨테이너가 보였다. 숲으로 들어가는 길 바로 앞에는 사유지라며 관계자 외 출입 금지 푯말이 굵은 글씨로 크게 걸려있었다. 여기서 죽으면 어디고이 묻히기는커녕 개밥으로 먹히는 거 아닐까 하는 생각을 하며 남자는 다시 발걸음을 옮겼다.

컨테이너 문은 생각보다 더 단단하고 얼음장처럼 차가웠다. 안에서는 한겨울 산자락 바람 보다 더 냉랭한 한기가 흘러나왔다.

"어, 아...... 이런, 일찍 오셨네요."

녹색 위생복 차림의 관계자는 조금 곤란한 얼굴로 남자를 맞이했다. 그의 말에 휴대전화를 꺼내 시간을 확인 했다. 그럴 생각은 아니었는데, 어쩌다 보니 약속된 시간보다 거의 한 시간 가까이 일찍 도착해 있었다.

"기다리죠 뭐."

남자가 시린 손을 비비며 대답했다.

"금방 드릴게요, 잠시만요."

"뭘요?"

"배달 아닙니까?"

순간 두 사람의 눈이 마주치자 걷잡을 수 없는 정적이 흘렀다. 열려 있던 아이스박스를 슬그머니 닫는 관계자의 동공이 흔들렸다. 테이블 아래로 서둘러 감추는 그의 장갑엔 붉은색의 무언가가 묻어있었다. 남자는 마른침을 삼켰다.

"저는 그, 안락사......"

관계자의 녹색 위생복과 아이스박스, 장갑에 범벅이 된 붉은 자국을 번갈아 보던 남자의 눈은 관계자 뒤편에 놓인 은색 테이블까지 넘어갔다. 저게 뭘까. 검은 비닐로 덮어놓은 테이블 위엔 사람 형상을 한 무언가가 누워 있었다. 남자의 불안감은 극에 달했다. 온 몸의 세포가 그에게 당장 달아날 것을 촉구했다. 남자는 뭔가 이건 아니라는 생각에 한 발 뒤로 물러났다. 관계자 역시 큰 실수를 저질렀다는 얼굴로 진땀을 흘려댔다. 오해 하지 말라는 듯 양손을 들어 보이던 관계자의 발이 테이블 바퀴에 채이며 휘청였다. 반동으로 의문의 아이스박스가 바닥에 나동그라졌다. 벌컥 열린 뚜껑 밖으로 쏟아진 얼음 알갱이와 함께 무언가 동그란 것이 남자의 발밑까지 또로록 굴러들어 왔다. 남자의 머릿속에서 누군가 그건 너의 미래이니 잘 봐두라며 킬킬거렸다. 그제서야 남자는 알 수 있었다. 브로커가 콧노래까지 불러가며 자신을 반겼던 이유를. '사람은 참 착한데......' 줄임말 뒤에 숨겨진 진정한 의미가 남자의 뒤통수를 후려 갈겼다. 그는 사기당했다.

"이왕 죽는 거 좋은 일 좀 하시지!"

"누구 좋은 일! 누구 좋은 일!"

남자는 달려드는 관계자를 밀쳐내며 미친 듯이 소리쳤다. 주삿바늘이 남자를 위협하듯 허공을 가르며 날아왔다. 남자의 손에 집히는 건 무엇이든 그를 향해 내던졌다. 얼음과 함께 물컹하고 동그란 것도 섞여 있었다. 남자는 내가 남의 눈깔을 집어던지고 있는 것은 아니기를 간절히 빌었다. 손바닥에 닿은 미끈한 촉감이 헛구역질을 불러일으켰다. 그렇다고 여기서 얌전히 죽을 수도 없었다. 지금 여기서 죽는다면 그건 안락사가 아니라 개죽음일 것이다. 사이좋게 두 개씩이나 있는 안구도, 신장도, 단 하나도 남아나지 않을 것이다. 살아서 걸어 나간 사람이 아무도 없다면, 살아서 기어나가면 될 일이다. 남자는 그야말로 죽을힘을 다해 컨테이너 밖으로 뛰쳐나왔다. 얼어붙은 낙엽들이 바스러지며 남자를 땅으로 끌어내렸다. 고꾸라진 남자는 데굴데굴 몇 바퀴를 굴렀다. 너무 깜깜해서 어디가 땅이고 하늘인지 알 수 없었다. 어디로 이어지는지도 모를 산자락을 미친개처럼 네발로 뛰어다니던 남자는 언덕 아래 하얀 건물이 보이자 이상한 울음소리를 냈다.

꼬여가는 걸음으로 겨우 견사 앞에 다다른 남자는 더는 걷지 못하고 주저앉았다. 아무래도 관계자가 휘두르던 주삿바늘에 찔린 모양이었다. 진정제인지 마취제인지 모를 무언가는 남자의 몸을 엿가락 처럼 휘게 만들었다. 남자는 어느새 흙바닥을 기고 있었다. 개들이 다시 미친 듯이 짖었지만, 남자의 귀엔 늘어진 테이프처럼 들릴 뿐이었다. 남자는 기적처럼 열려있는 빈 견사로 맥이 풀려가는 몸을 질질 끌고 들어갔다. 이것이 꿈인지 현실인지, 아니면 죽어서 개로 다시 태어난 것 인지 분간할 수 없었다. 언 땅의 냉기가 남자의 몸을 타고 올라왔다. 남자는 살아야 겠다는 집념 하나로 널브러진 지푸라기와 모포 속으로 끊임없이 파고들었다.

여자의 차에 탄 남자는 그제서야 숨을 돌렸다. 아직도 두근거리는 심장이 툭 치면 웩 하고 쏟아져 나올 것 같았다. 갈 곳은 있냐는 물음에 남자는 아무 대답도 하지 못했다. 신변정리를 모조리 하고 유서까지 쓰고 나온 터라 이제 와서 기어들어 가기도 쪽팔렸다. 물론 남자가 어젯밤 죽으러 갔는지는 어쨌는지는 아직 아무도 몰랐을 테고, 관심도 없었겠지만.

초면에 수치스러운 이야기를 늘어놓은 걸로도 모자라, 남자의 배는 눈치도 없이 꾸르륵거렸다. 여자는 말없이 시동을 걸었다. 대체 뭘 믿고 남자를 집에 데려가려는 건가 싶다가도, 행여나 갈 곳 없는 그를 내치기라도 할까 봐 남자는 조신하게 침묵을 지켰다. 남자에게 여자는 구세주나 다름없었다. 지금 믿을 수 있는 건 이 여자뿐이었다. 내가 개였다면 그녀에게 한평생 충성을 다했을 텐데, 그녀가 나를 키워주면 좋겠다. 먹이고, 살려주면 좋겠다. 제발, 살려주세요. 그래 주기만 한다면, 기꺼이 그녀의 개가 되리라. 흔들리는 차창 밖으로 겨울 해가 높이 떠 있었다. 남자는 헛된 꿈속으로 꾸벅꾸벅 고개를 떨구었다.

여자는 편의점 앞에 차를 세우고 남자용 속옷 몇 벌과 양말, 그리고 라면 몇 봉지를 샀다. 새 반려동물을 들이려면 그것이 임시 보호가 될지라도 적당한 사료와 기본 용품이 필요한 법이다.

"어, 엄마. 글쎄 그렇다니까. 내가 봉사활동 다니던 그 보호소 있지, 거기서 만났어. 응. 키워도 되겠지? 나, 잘할 수 있겠지......?"

여자는 물건들을 계산대에 내려놓으며 통화를 이어갔다. 엄마는 오랜만에 듣는 딸의 밝은 목소리에 화색을 띄었다.

"우리 딸, 그래. 이제 뭉이 그만 보내줄 때도 되었지."

엄마의 말에 여자는 입술을 안으로 말고 작게 고개를 끄덕였다. 엄마도 알았는지 조용히 '응, 그래.' 하고 대답했다.

뭉이가 죽고 처음엔, 개를 똑바로 쳐다볼 수도 없었다. 그토록 사랑해 마지않던 개의 맑은 얼굴을 마주할 자신이 없었다. 그 얼굴은 언제나 여자를 무너트렸다. 길에서든, 티브이에서든, 개만 보면 자동으로 울음이 터져 나왔다. 몇 번의 계절이 지나는 내내 여자는 홀로 여름밤 폭우 속에 남겨진 것처럼 젖어 살았다. 보호소에서 개를 훔치려다 걸린 적도 있었다. 하지만 다시 키운다 한들, 길어야 십여 년 살고 또 죽을 거란 생각에 겁이 났다. 여자는 제 살을 뚝 떼어가는 허망함을 두 번 다시 겪고 싶지 않았다. 나는 여기 이렇게 아직 잘 살아있는데, 왜 멀쩡한 살을 죽었다며 떼어가려는지 도통 이해할 수 없었다. '나보다 빨리 죽는 개는 필요없어.' 여자는 사람들에게 농담처럼 이야기 하곤 했었다. 그랬던 여자의 앞에 어디서 개 같은 남자가 굴러들어왔다. 여자는 자신의 발목을 붙잡고 껑껑 울어대던 남자의 눈을 잊을 수가 없었다. 그렇게 데려가 달라고 우는데, 데려와야지 뭘 어째. 그래서 이름은 뭐로 할까.

여자의 집에 도착한 남자는 조심스럽게 집안을 살폈다. 낯선 냄새와 가져본 적 없는 온기. 깨끗이 정돈된 개의 물건들. 개의 물건들......? 그제서야 남자의 눈에 온갖 반려동물 용품으로 가득 찬, 다소 이상한 풍경이 들어오기 시작했다. 거실 한쪽을 차지하고 있는 크고 푹신한 개를 위한 쿠션, 개 밥그릇과 물그릇, 구석에 놓인 장난감 상자. 모든 것이 가지런히 놓여 있지만, 장난감과 빈 밥그릇엔 뿌옇게 먼지가 고여있었다. 보드라운 카펫 위로 햇살이 내리쬐는 거실, 개가 기대어 낮잠을 잤을 법한 자리엔 아무것도 없었다. 집안 곳곳 개의 흔적이 가득했지만 어쩐 일 인지 개는 보이질 않았다. 방향을 돌린 남자의 시선이 부엌 한편에 쌓인 무수한 약봉지로 향했다. 여자는 성큼성큼 걸어가 오래된 약 들을 쓰레기통에 처박았다.

"뭉이 거예요."

남자는 그녀의 말에 아무것도 묻지 않았다. 대신 냉장고에 붙은 뭉이로 추정되는 개의 사진들을 훑었다. 손바닥 위에 올라간 솜뭉치 시절 사진부터 바람처럼 땅 위를 달리는 사진까지. 여자의 개는 나이 들어 병으로 죽은 듯했다. 펫로스 라고 하던가. 남자는 언젠가 반려동물의 죽음에서 벗어나지 못하고 오랫동안 고여있던 사람들에 대한 이야기를 들은 적이 있었다. 여자도 그런 사람들 중 하나인 걸까. 남자는 개가 되고 싶었고 여자는 개가 필요해 보였다. 이보다 더 천생연분이 어디 있을까.

남자가 씻는 동안 여자는 쓰레기통을 뒤져 약 무더기 속에서 자신의 이름이 적힌 약통들을 건져내었다. 스스로 씻는 개라, 기특하기도 하지. 여자는 입가에 미소를 띠며 선반을 열었다. 안에는 여자의 이름이 적힌 약통이 빼곡히 들어차 있었다. 여자는 손에 쥔 약통들을 선반 모퉁이에 채워 넣었다. 몸을 숙여 발을 씻던 남자는 욕실 한구석에 덩그러니 놓인 개 샴푸를 발견했다. 유통기한이 지난여름까지다. 내용물이라도 슬쩍 버릴까 싶어 뚜껑을 열었다. 통을 뒤집어도, 실리콘처럼 굳은 샴푸는 조금도 흘러나오질 않았다. 여자는 언제부터 죽은 개를 지니고 살아온 걸까. 남자는 샴푸 통에 뜨거운 물을 부어두고 다시 뚜껑을 돌려 닫았다.

남자가 여자의 헐렁한 티셔츠와 조거팬츠를 입고 나온다. 맛있는 라면 냄새가 난다. 남자는 과분한 안도감을 느낀다. 물론 그래서는 안 되지만, 그럴 일도 없겠지만, 잠시나마 여자와의 행복한 일상을 떠올리고 말았다. 모든 것이 몸에 꼭 맞는 옷처럼 완벽해 보였다. 개를 꿈꾸던 남자는 다시 인간의 삶을 희망하기 시작했지만, 남자의 얼토당토않은 망상은 겨울 해처럼 그리 오래 떠 있지는 못했다.

뭐가 잘못된 걸까. 분명 분위기 좋았던 것 같았는데. 기꺼이 당신의 개가 되겠다고 맹세까지 했는데...... 불 꺼진 거실, 비좁은 개 방석에 몸을 구겨 넣으면서 불현듯, 남자는 내일 아침을 개 밥그릇에 주면 어쩌나 하는 걱정에 통 잠이 오질 않았다.

파란아이

박철용

박철용   세상에 혼자라는 생각이 들 때 다시 팬을 잡았습니다. 거친 파도가 치는 망망대해를 혼자 건너야 하는 기분이었습니다. 아무도 도와주지 않고 아무도 응원해 주지 않는 그런 삶을 살아갈 거라는 생각이 들었습니다. 하지만 저 혼자 그런 삶을 사는 것은 아니었습니다. 또 누군가, 아니면 우리 모두 인생에서 한번은 혼자가 될 때가 있습니다. 그럼에도 나의 삶을 살아간다는 것은 어딘가 있을지 모르는 인생의 의미를 찾고자 함인지 모릅니다. 설령 그것이 지금 당장 눈앞에 나타나지 않을지라도, 언젠가 나타날 것이라는 희망을 가지고 세상이라는 바다에 나가게 되는 것 같습니다. 아직은 부족하지만 그런 모험을 하는 용감한 작가가 되고 싶습니다.

"왜 안 된다는 거예요!"

파랑이는 두 눈을 부릅뜨고 백발의 발트를 노려보았다. 그런 파랑이에게 발트는 터져 나오는 화를 꾹꾹 참아가며 말했다.

"도대체 몇 번을 말해야 알아듣겠냐. 바다에 나가면 죽는다고! 정말 크라켄 밥이 되고 싶어 그러는 거냐? 아니면 그전에 평생 감옥에서 살고 싶은 거냐!?"

파랑이도 그 사실을 알고 있었다. 하지만 이 섬에서 산다는 것은 파랑이에겐 하루하루가 감옥이자 독방이었다. 그저 할아버지 발트가 있기에 조금 더 나은 삶일 뿐이었다.

"그건 나도 알아요! 하지만 저 밖엔 나 같은 사람들이 많을지 모르잖아요. 여기보다 행복한 곳일지 모르잖아요!"

발트는 그런 파랑이를 애처롭게 바라보며 어깨를 토닥였다.

"그래, 그럴지도 모르지. 하지만 각자에겐 주어진 삶이란 게 있단다. 이곳에서도 언젠가 너의 행복을 찾을 수 있을지 모르잖니, 그러니 제발 바다로 나가겠다는 말은 말거라."

발트의 말이 끝나자 파랑이는 발트의 손을 '탁' 치며 버럭 화를 냈다.

"이곳에서 내 인생은 모두에게 미움받고 상처받는 일뿐이라고요! 그러니 더 이상 말릴 생각 마세요. 할아버지가 내 아빠도 아니잖아요. 나는 오늘 바다에 나갈 거예요."

파랑이는 발트를 스쳐 오두막 문을 벌컥 열고 나가 버렸다. 맥이 풀린 발트는 식탁 의자에 주저앉아 한숨을 토해냈다.

이곳은 푸른 바다 한가운데 커다란 회색 섬이다. 사방이 깊은 바다인 회색 섬은 나무가 울창하고 자원이 풍부한 섬이다. 하지만 회색 섬이라 불리는 이유는 모두가 회색 머리카락의 사람들이기 때문이다. 부와 명예를 누리는 일부 황금 머리카락 사람들을 제외하면 말이다. 그런 회색 섬 바다에는 거대한 괴물 크라켄이 도사리고 있었다. 그래서 회색 섬 사람들은 크라켄의 공격에 대비하여 늘 높고 커다란 성을 지어야 했다. 각각의 성은 황금 머리의 주인들이 살고 있었다. 그들을 위해 회색 섬 사람들은 태어나 죽을 때까지 성을 짓고 일을 하며 살아간다. 그러나 가끔 회색 섬엔 파란 머리카락 아이들이 태어났다. 그들은 남들과 다르다는 이유로 태어나자마자 차별받고, 버려지고, 상처를 받으며 자라났다. 결국 회색 섬이 아닌 어딘가에 자신들을 사랑해 줄 사람들이 있을 것으로 생각한 파란 머리 아이들은 바다로 나갔다. 하지만 섬에서 누군가 바다로 나가면 크라켄이 반드시 섬을 공격해 왔다. 그래서 회색 섬 사람들은 파란 머리에게 더없이 잔혹했다. 파란 머리는 바다에 나가 크라켄의 저주를 불러올 거라는 이유로 작은 죄만 지어도 평생 감옥에 갇혔다. 몸이 아파도 아무도 도와주지 않았고, 추위와 배고픔에 결국 세상을 떠났다. 회색 섬에서 파란 머리 아이들의 삶은 그저 '죽음'으로 결정되어 있었다.

젊은 날의 발트도 마찬가지였다. 파란 머리 청년 발트와 루시는 바닷가 근처에 오두막을 짓고 함께 살았다. 발트는 가난해도 손재주가 좋았다. 파란 머리라는 이유로 제값을 받지 못했지만 가끔씩 농기구를 고치며 돈을 모았다. 그 돈으로 발트는 루시와 자신의 사진이 들어 있는 펜던트 목걸이를 만들어 루시에게 선물했다. 선물을 받은 루시는 뛸 듯이 기뻐했고 목걸이를 항상 소중히 여겼다. 회색 섬에서 둘은 언제나 함께하기에 행복했다. 발트는 루시와 바다로 나가 모험을 하며 회색 섬이 아닌 아름다운 섬에서 살고 싶었다. 그래서 발트는 마을 사람들 몰래 배를 만들고 있었다. 그런 둘에게 회색 머리 사람들은 성을 짓지 않는 썩어빠진 파란 머리 인간들이라며 욕을 해댔다. 결국 마을 사람들에게 시달리던 루시는 발트에게 성을 짓는 일을 하겠다고 말했다. 놀란 발트는 자신이 일하러 가겠다며 루시를 말렸다. 하지만 루시는 고개를 저었다.

"아니야, 우리가 함께 탈 배를 만들어 줘. 난 자기가 배를 만드는 모습이 좋아."

다음날부터 발트와 루시는 아침 식사를 마치면 각자 일을 했다. 루시는 마을에서 성을 짓고, 발트는 숲에서 배 만드는 일에 전력을 다했다. 서로 떨어져 있는 시간이 생겼지만 둘의 사랑은 변함없었다. 그렇게 시간이 흘러 발트는 드디어 배를 완성했다. 고철을 모아 만들긴 했어도 배는 둘이 타기에 충분한 크기였고, 오랜 항해에도 끄떡없을 정도로 튼튼했다. 이제 내일 아침이면 출항할 수 있었다. 하지만 그날 밤, 아무리 기다려도 루시가 돌아오지 않았다. 걱정된 마음에 발트는 집을 나서 루시가 일하는 성에 도착했다. 그런데 발트는 성안의 광경을 보고 그 자리에 굳어버렸다. 사랑했던 루시가 창백하게 쓰러져 있었다. 높은 곳에 벽돌을 쌓으러 올라갔던 루시는 지지대가 무너지면서 바닥으로 추락한 것이다. 믿고 싶지 않았다. 발트는 무거운 발걸음을 옮겼다. 한 걸음 한 걸음이 지옥 불에 닿는 것처럼 아파왔다. 루시에게 다가간 발트는 떨리는 손으로 루시를 끌어안았다. 눈물은 핏방울처럼 흐르는데 가슴이 아파 목소리조차 나오지 않았다. 파란 머리라는 이유로 아무도 루시의 죽음을 알려주지 않았다.

발트는 루시를 끌어안고 성을 나왔다. 바람도, 온도도, 슬픔도, 고통도, 아무것도 느끼지 못했다. 그저 루시를 안고 산을 올랐다. 그리고 바다가 잘 보이는 아름다운 곳에 루시를 묻어주었다. 루시는 그렇게 세상을 떠났다. 발트는 그곳에서 몇 날 며칠을 울고 또 울었다. 더이상 살아갈 의미도, 살아갈 필요도 없었다. 루시의 무덤에서 일어난 발트의 머리는 새하얗게 변해 있었다. 아무것도 남아있지 않은 빈껍데기처럼, 아무런 색도 들어있지 않았다. 그렇게 산을 내려온 발트의 눈에 만들어 놓았던 배가 보였다. 처음부터 저 배만 아니었다면 루시가 죽지 않았을 거다. 그렇게 생각하니 망할 놈의 배가 꼴도 보기 싫었다. 당장 집에 들어가 망치를 들고뛰어 나왔다. 분노에 찬 발트는 배를 부숴버리려 망치로 힘껏 내리쳤다.

하지만 그 순간, 배를 만들어 달라던 루시의 말이 떠올랐다. 그것이 루시의 바람이었다. 함께 배를 타고 바다에 나가는 것이 발트와 루시의 소망이었다. 그렇기에 배를 부술 수 없었다. 떨리는 손으로 망치를 내려놓은 발트는 흐느껴 울었다. 마지막으로 한 번이라도 좋으니 그녀가 보고 싶었다. 사랑했다는 말도, 안녕이란 말도 하지 못했다. 울음을 멈춘 발트는 집으로 향했다. 저 문 앞에서 루시가 웃는 모습으로 반겨 줄 것만 같았다. 그러다 문득 떠올랐다. 루시가 하고 있던 펜던트 목걸이. 그 안에는 루시의 사진이 들어있었다. 그런데 루시의 마지막 순간에 목걸이가 보이지 않았다. 성 근처 어딘가에 떨어져 있을지 모른다는 생각이 들었다. 발트는 곧장 회색 섬 곳곳을 돌아다니며 목걸이를 찾았다. 숲속, 성안, 길가, 쓰레기까지. 목걸이를 찾는 게 발트의 운명이 되었다. 다른 일은 필요 없었다. 그렇게 하루, 일주일, 한 달, 일 년, 또 몇 년이 흐르자 발트의 얼굴에 주름이 생기고 시간 감각도 무뎌졌다. 배를 볼 때면 루시가 생각나 견딜 수 없었다. 결국 발트는 숲속 깊은 곳에 배를 숨겨 놓았다.

그러던 어느 날, 또 다른 파란 머리 아이가 태어났다는 이야기를 들었다. 회색 섬에서 파란 머리 아이들은 죽거나, 버려지거나 둘 중 하나였기에 발트는 관심 가지려 하지 않았다. 그날도 회색 섬 쓰레기를 분리하며 목걸이를 찾아다녔다. 그리고 또다시 루시가 떠나가 버린 성에 발을 들였다. 수백 번, 수천 번 들어와서 되찾은 곳이다. 쓰레기장으로 향한 발트는 그곳에 버려져 있는 파란 머리 아이를 발견한다. 발트는 쳐다보지 않으려고 애쓰며 쓰레기를 수거했다. 그런데 아이는 무엇인가 손에 꼭 쥔 채 울고 있었다. 성을 나가려던 발트는 발길을 돌려 조심스럽게 아이에게 다가갔다. 울고 있는 아이를 끌어안은 발트는 아이의 손을 천천히 펴보았다. 그리고 그토록 찾아 헤매던 목걸이를 찾게 된다. 파란 머리 아이는 루시의 목걸이를 손에 꼭 쥐고 있었다. 회색 머리 사람들이 주웠던 루시의 목걸이를 파란 머리 아이가 태어나자 손에 쥐어준 것이었다. 발트는 자신도 모르게 눈물을 쏟아내고 있었다. 그리고 떨리는 손으로 펜던트를 열었다. 이제야 루시를 만날 수 있었다. 발트는 흐느껴 울기 시작했다. 파란 아이는 그런 발트의 새끼손가락을 잡아 주었다. 놀란 발트는 아이를 지그시 바라보았다. 그렇게 세월에 늙어버린 발트는 '파랑이'를 만날 수 있었다.

그 후로 17년 동안 발트는 항상 파랑이를 데리고 일을 나갔다. 하지만 회색 사람들은 파랑이를 보면 욕을 하기 바빴고 아이들은 괴물 보듯 싫어했다. 파랑이를 향해 돌을 던지고 시도 때도 없이 구정물을 머리에 쏟아부었다. 그들에게 파란 머리는 증오의 대상이었다. 언젠가 바다에 나가 크라켄의 저주를 불러올 것이기 때문이었다. 그래서 파랑이는 늘 할아버지 발트의 뒤에 숨어다녔다. 그저 사람들의 눈에 띄지 않길 바랐다. 시간이 지날수록 파랑이의 가슴속에 내가 있을 곳이 아니라는 생각이 자라났다. '아무도 원하지 않고 아무도 사랑해 주지 않는다.'라는 생각이, 그럼에도 파랑이는 다친 동물이나 물에 빠진 새들을 보면 구해주곤 했다. 홀로 떨어진 자신과 같아서가 아니었다. 사랑받지 못할지라도 따뜻한 마음을 가졌다는 것을 세상에 말하고 싶었던 것이다.

친구도, 마음을 털어놓을 사람도 없던 파랑이는 멍하니 바다를 바라보는 일이 많았다. 파도는 다독여주는 위로가 되었고, 바람은 흐르는 눈물을 닦아 주었다. 외로움은 늘 바다에 넣어 녹여 버렸다. 차라리 바다를 떠돌아다니는 것이 더 행복할 거라는 생각이 들었을 때, 파도는 무엇인가 반짝이는 것을 파랑이에게 가져다주었다. 모래사장에 앉아있는 파랑이 앞으로 투명한 유리병이 밀려왔다. 파랑이가 천천히 유리병을 들어보자 병 안에는 작은 배 모양 조각이 들어 있었다. 파랑이는 배 조각을 보자 너무나 신이 났다. 분명 어딘가 다른 사람들이 보내온 것이었다. 세상에는 회색 섬이 전부가 아니었다. 드넓은 바다엔 또 다른 섬이 있는 것이다.

파랑이는 병 속의 배를 보며 진짜 배를 만들어 바다로 나가겠다고 다짐했다. 하지만 그 어디에서도 배를 보거나, 만지거나, 배울 수 없었다. 발트는 그런 파랑이에게 배의 '비읍' 자도 꺼내지 말라고 화를 냈다. 파란 머리 사람은 배를 만드는 것만으로도 평생 감옥에 갇힐 수 있기 때문이다. 그렇게 파랑이는 날마다 유리병 안의 배를 들여다보며 생각에 잠겼다.

그러던 어느 날, 발트가 부르는 소리에 놀란 파랑이는 들고 있던 병을 떨어뜨렸다. 병이 산산조각 나자 파랑이는 바다로 나가는 꿈이 깨지는 것만 같았다. 그렇게 좌절하던 파랑이는 모래 위에 뒤집힌 배를 보고 무언가 닮았다고 생각했다. 바로 저 멀리 있는 파랑이와 발트의 오두막집이었다. 배 뒤집힌 모습이 집과 닮았다. 아니 똑같았다. 파랑이는 배 조각을 들고 집안으로 뛰어 들어갔다. 집에 들어간 파랑이가 천장을 바라보니 용골에 뼈대, 그리고 그 위로 겹겹이 붙여진 판자까지, 집의 구조는 배의 구조와 같았다. 파랑이는 그 어떤 비바람에도 오두막집이 끄떡없던 이유를 알게 되었다. 분명 할아버지는 배 만드는 방법을 알고 있다고 생각했다. 다음날부터 파랑이는 틈만 나면 집 안 구조를 연구했고, 발트를 따라 각종 수리 일을 도맡았다. 발트는 그런 파랑이가 이제 바다로 나가는 것을 포기했다고 생각했다. 너무나 다행이었다. 어쩌면 이 섬에서 파랑이도 잘 살 수 있을 거라 믿었다. 그래서 발트는 파랑이에게 망치질, 톱질, 수레를 만드는 방법 등 많은 것을 알려주었다.

하지만 파랑이는 발트와 일을 마치면 몰래 숲에 들어가 배를 만들 곳을 찾았다. 넓고 평평한 공터 그리고 곧장 바다로 배를 내릴 수 있는 언덕을 골랐다. 멋진 아지트를 만든 파랑이는 자신 있게 망치를 들었다. 발트가 만들었던 오두막집처럼 튼튼한 배를 만들기 위해 용골로 쓸 나무를 골랐다. 하나하나 망치로 두드리고 끌어안아 몸으로 느꼈다. 그리고 아주 커다랗고 튼튼한 나무를 찾았다. 어떤 나무를 고르던 옹이를 피해 만들라는 발트의 말을 잊지 않았다. 몇 날 며칠 열심히 톱질하고 망치질한 끝에 파랑이는 튼튼한 용골을 만들었다. 드디어 배의 척추를 만든 것이다. 파랑이는 자신이 만들어 놓은 용골을 보며 바다로 나갈 수 있다는 확신이 들었다. 배를 만들기 위해 더 많은 재료가 필요했다. 파랑이는 수레를 끌고 마을 이곳저곳을 돌아다녔다. 파란 머리를 가리기 위해 회색 털모자를 눌러쓰고, 지금껏 모아 놓은 돈으로 연장과 못 등 필요한 것을 샀다. 그런데 물건을 사던 파랑이 뒤로 한바탕 난리가 나더니 사람들이 "도둑 잡아라!" 소리쳤다. 파랑이가 놀라 뒤를 돌아보는 사이 빵을 훔쳐 달아나는 회색 머리 '진'과 부딪히고 말았다. 둘은 서로 머리를 감싸고 바닥을 굴렀다. 그러다 정신을 차린 파랑이에게 진이 다급히 말했다.

"야! 회색 모자! 부탁 하나만 하자."

파랑이는 진을 수레 안에 숨겨주고 아무 일도 없었다는 듯 시장을 빠져나갔다. 회색 사람들이 파랑이에게 진을 보았는지 물어봤지만, 파랑이는 못 본 척했다. 그렇게 둘은 무사히 마을을 나와 바닷가로 향했다. 파랑이가 이제 괜찮다고 말하자 진은 "푸하!" 하곤 수레에서 나왔다. 진은 수레를 끌고 있는 파랑이 옆을 나란히 걸어갔다. 진은 파랑이의 모습을 보며 고개를 갸웃거렸다.

"못 보던 녀석인데, 우리 마을 사람 맞아? 아무튼 고맙다. 내 이름은 진이야. 너는?"

진의 물음에 파랑이는 마을 바닷가 근처 오두막에 산다고 말했다. 하지만 선뜻 이름을 말할 수 없었다. 그랬다가는 또 괴물 취급을 당하게 뻔했다.

"뭐야, 넌 이름이 없냐? 그럼 됐어! 다음에 또 보자 회색 모자!"

진은 그렇게 자신의 마을로 달려갔고, 파랑이는 그런 진을 보며 살며시 손을 흔들어 주었다. 또래 친구와 말하는 것이 처음이었다. 파랑이는 흔들던 손바닥을 바라보며 빙그레 미소 지었다. 그 이후 파랑이는 시장에 가면 진을 만날 수 있었다. 둘은 항상 함께 놀았다. "야! 회색 모자!" 진은 파랑이를 이렇게 불렀다. 파랑이도 그 이름이 싫지는 않았다. 파랑이는 진과 내기 하는 것을 좋아했다. 내기는 누가 더 빨리 뛰는지 달리기부터 멀리 있는 물건 돌로 맞히기 등 또래 아이들의 놀이였다. 파랑이는 평범한 아이가 될 수 있어서, 진이라는 친구가 생겨서 너무나 기뻤다. 하지만 밤늦게까지 놀 때면 할아버지에게 혼나기도 했다. 발트는 그런 파랑이에게 친구가 생겼다는 것을 알게 되었다. 겉으론 하루 종일 놀러 다닌다고 화를 내지만 마음속으로는 파랑이가 대견했다. 잘 자라주어 고마웠다.

파랑이는 시장에 가지 않는 날이면 배 만드는 일에 매달렸다. 용골을 만든 파랑이는 나무를 자르고 깎아서 배의 갈빗대인 늑골을 만들었다. 늑골을 용골 사이사이 끼워 열심히 망치질했지만, 늑골은 얼마 가지 않아 쓰러졌다. 아무리 못을 박아도 버티질 못했다. 화가 난 파랑이는 얄미운 늑골을 발로 차며 집으로 향하기 일쑤였다. 몇 번의 실패 끝에 씩씩거리며 집에 돌아온 파랑이는 발트에게 물어보았다. 도대체 늑골…….이 아니라 서로 다른 커다란 나무는 어떻게 결합하는 거냐며 짜증을 냈다. 파랑이의 귀여운 분노를 보며 발트는 크게 웃었다. 나무와 나무를 결합하기 위해서는 나무의 마음을 이어줄 특별한 못이 필요하다고 말했다. 그것은 바로 '연화 나무못'이었다. 마음을 이어 꽃을 피운다는 뜻의 연화 나무는 크기가 작아도 회색 섬에서 가장 단단한 나무였다. 이 나무로 굵은 나무못을 만들면 어떤 커다란 나무든 튼튼하고 오랫동안 결합할 수 있었다. 그것은 발트와 루시를 이어주는 목걸이처럼, 파랑이와 발트를 이어주는 그날의 기억처럼 특별한 나무못이었다. 발트는 전보다 밝아진 파랑이의 머리를 쓰다듬으며 연화 나무못에 대해 알려 주었다.

다음 날, 파랑이는 할아버지가 알려준 연화 나무못을 사러 시장에 나갔다. 하지만 나무못을 파는 사람은 어린 파랑이를 보자 비싼 값을 불렀고, 파랑이는 도저히 살 엄두가 나지 않았다. 그 모습을 바라보던 진은 몰래 연화 나무못을 훔쳐 다 주었다. 파랑이는 진 덕분에 필요했던 재료를 구할 수 있었다. 진이 어디에 쓰는 건지 물어보자, 파랑이는 할아버지와 농기구를 수리하는 일에 쓰는 거라며 거짓말을 했다. "그렇구나." 하곤 진은 크게 신경 쓰지 않았다. 하지만 파랑이는 진을 속인 것이 마음에 걸렸다. 진이 자신을 싫어하지 않을까 걱정된 파랑이는 진에게 말했다.

"모두가 날 싫어하는 기분, 혼자인 것 같은 기분 들 때 있어?"

그 말을 들은 진은 생각에 잠긴 듯 한동안 말이 없었다. 그러다 조심스럽게 자신의 이야기를 해주었다. 진은 오래전 크라켄의 공격으로 부모님이 돌아가신 후 혼자 어린 동생들을 돌봐왔다. 동생들을 먹여 살리기 위해 온갖 일을 다 했지만, 돈은 턱없이 부족했다. 가난했기에 집을 구할 수 없어 늘 추위에 떨었다. 결국, 진은 도둑질을 시작했고 그나마 동생들을 배불리 먹일 수 있었다. 하지만 진도 알고 있었다. 이렇게 평생을 도둑질로 살 수 없다는 것을. 자기들밖에 모르는 회색 섬 사람들도, 이런 삶도 싫지만 어쩔 수 없었다.

"나도 저들이 싫어, 그래도 저들처럼 살아가겠지. 때로는 있는 그대로 받아들여야 할 때도 있는 거잖아."

진은 속마음을 이야기한 것이 쑥스러운 듯 재빨리 마을로 돌아갔다. 파랑이는 진과 헤어진 후 연화 나무못을 챙겨 아지트로 돌아왔다. 연장을 들고 늑골과 용골에 구멍을 만들어 커다란 연화 나무못을 끼워 넣었다. 그러자 신기하게도 용골과 늑골은 튼튼하게 고정되었다. 사람과 사람 사이 소중한 추억처럼. 이것이 할아버지가 말한 나무와 나무를 이어주는 방법이었다. 신이 난 파랑이는 다른 늑골도 같은 방법으로 고정하여 배의 뼈대를 만들어 갔다. 드디어 배의 골대가 완성되었다. 파랑이는 완성된 골대를 흐뭇하게 바라보았다.

그 후로 진은 시장에 온 파랑이에게 필요한 공구들을 가져다주었다. 가난이 얼마나 힘든지 알기에 파랑이를 도와주고 싶었다. 그러자 시장에서 수상한 공구들이 사라진다는 소문이 병사들 귀에 들어갔다. 대부분의 공구와 물건들은 배를 만드는 재료였다. 이 사실을 알게 된 황금 머리 병사 대장 '카이'는 진의 도둑질에 의심을 품고 주변을 조사하기 시작했다.

파랑이는 나무를 다듬고 자르며 배의 골대에 붙일 나무판자들을 만들었다. 작은 통들을 구해 틈틈이 송진을 모았다. 시간이 지날수록 판자들이 쌓이자 파랑이는 판자와 골대를 이어 붙였다. 못질하고 벌어진 틈이 없도록 신경을 써가며 배를 만들었다. 그렇게 파랑이는 배의 선체를 만들었다. 선체가 완성되자 판자가 조금 남아 있었다. 판자를 보며 파랑이는 진이 생각났다. 진과 마음을 나눈 친구가 되고 싶었다. 그래서 그것으로 작은 집 모형을 만들었다. 파랑이는 진에게 마음을 이어주는 연화 나무 같은 선물을 하고 싶었다. 열심히 집 모형을 만든 파랑이는 시장에 도착해 곧장 진을 만났다. 그리고 집 모형을 선물하며 말했다.

"언젠가 꼭, 너와 동생들이 살 집을 만들어 줄게. 지금은 작은 집이지만 반드시 커다란 집을 만들어 줄게!"

진은 집 모형을 보며 가슴이 뭉클했다. 가난에 허덕이지 않고 커다란 집에서 동생들과 함께 따뜻한 저녁 식사를 하는 상상을 했다. 정말 집을 만들어 주기만 한다면 뭐든 해줄 수 있을 것 같았다. 파랑이의 마음에 감동한 진은 내일 시장에 꼭 나오라고 말했다. 파랑이에게도 좋은 선물이 하고 싶었다. 파랑이는 선물을 받고 기뻐하는 진에게 내일도 꼭 시장에 오겠다고 약속했다. 파랑이는 진과 진정한 친구가 될 수 있다고 생각하며 아지트에 돌아왔다. 튼튼하게 만들어진 골대를 확인하던 파랑이 눈에 송진이 가득 찬 통이 보였다. 선체를 칠하기 충분한 양이었다. 두 팔을 걷어붙인 파랑이는 선체에 송진을 바르기 시작했다. 한편 파랑이의 선물을 찾던 진은 대장간에서 아주 멋진 바람 무늬 망치를 발견했다. 진은 한참을 숨어 있다가 대장간 주인이 자리를 비운 사이 몰래 망치를 훔쳤다. 그러나 이를 알게 된 대장간 주인은 곧장 카이에게 이 사실을 알렸다.

다음 날 아침, 회색 섬엔 먹구름이 끼었다. 쏴아! 소리를 내며 많은 비가 내리기 시작했다. 놀란 파랑이는 송진을 칠해 놓은 배가 걱정되었다. 진과의 약속을 지켜야 했지만 그럴 수 없었다. 한걸음에 아지트로 달려간 파랑이는 배가 젖지 않도록 천을 덮어주고, 물이 새는 곳에 못질해 배를 고치기 시작했다. 시장에서 파랑이를 기다리던 진은 한

참 동안 기다려도 파랑이가 오지 않자 직접 망치를 주기 위해 바닷가로 향했다. 파랑이가 말한 오두막집이 보였다. 그런데 집안에는 아무도 없었다. 진이 발길을 돌리려는 순간 숲속에서 망치질 소리가 울렸다. 진은 소리가 나는 숲속으로 향했다. 한참 숲을 지나자 넓은 공터가 보였다. 공터 앞 작은 책상엔 각종 연장이 올려져 있었다. 그리고 그 옆으로 회색 털모자가 놓여 있었다. 진은 회색 모자 녀석이 여기 있구나 싶어 공터 안으로 들어갔다. 그런데 공터에는 나무로 만든 배 한 척이 있었다. 진이 배를 바라보는 순간, 파랑이가 판자를 들고 나타났다. 파랑이는 진을 보자 그 자리에 굳어버렸다. 진도 파란 머리의 파랑이를 보자 놀란 마음에 뒷걸음질 쳤다. 그러자 파랑이는 판자들을 던지고 진에게 달려갔다.

"기다려 진! 가지 마. 내가 다 말해줄게!"

파랑이가 다가오자 진은 덜컥 겁이나 파랑이를 밀쳤다. 그러나 파랑이는 포기하지 않았다. 지금까지 함께 뛰놀았던 자신이 남들과 다르지 않다는 것을 증명하고 싶었다. 자신을 예전처럼 친구로 받아들여 주길 바랐다. 하지만 진은 그런 파랑이에게 더욱 화를 냈다.

"저리가! 난 네가 파란 머리인 줄 몰랐어. 우리 부모님은 크라켄에게 돌아가셨어. 너 같은 파란 머리들이 바다에 나가서 크라켄을 불러왔기 때문이라고! 더 이상 내 근처에 얼씬도 하지 마, 이 괴물아."

진은 그렇게 발길을 돌려 숲을 빠져나갔다. 진의 뒷모습을 바라보며 파랑이는 참았던 눈물을 흘리고 말았다. 서러움에 소리 내어 울었다. 이 원망스러운 파란 머리가 무엇이기에 모두에게 미움받는지 몰

랐다. 세상은 너무도 가혹했고 사람은 그보다 잔인했다. 어느덧 비가
그쳤지만, 파랑이는 밤이 새도록 배를 고쳤다. 돛을 달고 밧줄을 묶
어 드디어 배를 완성했다. 하지만 기쁘지 않았다. 고개를 푹 숙인 파
랑이는 힘없이 어둠 속으로 걸어갔다. 더 이상 회색 섬에 살고 싶지 않
았다.

　늦은 밤, 파랑이는 오두막집으로 향했다. 캄캄해 앞이 보이지 않았
다. 나뭇가지가 몸을 할퀴고 가시덤불이 발을 찔렀지만 아프지 않았
다. 파랑이는 그렇게 집에 돌아와 침대에 누웠다. 자꾸 눈물이 나는 걸
애써 참았다. 눈을 감고 있던 발트는 그런 파랑이의 울음을 그저 조용
히 들어주었다. 어떤 일로 우는지, 왜 우는지 물어보지 않았다. 많은
상처를 받은 아이기에 그저 울고 있어도 알 수 있었다. 친구를 잃고 어
두운 밤을 보내던 파랑이는 바다에 나갈 결심을 했다.

　다음 날 아침, 파랑이는 곧장 발트에게 말했다.

　"오늘, 바다에 나갈 거예요."

　발트는 파랑이의 말에 버럭 화를 냈다.

　"뭐라고? 말도 안 되는 소리 말거라! 절대 안 된다!"

　파랑이는 그런 발트를 매섭게 노려보았다.

　진은 시장 구석에서 동생들과 빵을 나눠 먹으며 파랑이가 준 집 모
형을 바라보았다. 그동안 함께 놀았던 회색 모자가 파란 머리라니, 진
은 속은 기분이었다. 화가 났지만 한편으로는 다른 나쁜 놈들과는 다
르다는 생각이 들었다. 그런 묘한 감정이 교차하고 있을 무렵, 시끄러

운 발소리와 함께 수많은 병사가 나타났다. 놀란 진이 동생들을 보호하려 앞을 가로막자 황금 머리 카이가 모습을 드러냈다. 카이의 명령에 병사들은 진의 동생들을 인질로 잡고 진을 카이 앞에 무릎 꿇렸다. 카이는 진이 가지고 있던 집 모형을 들어 바라보았다.

"네놈이 진이라는 녀석이구나. 그동안 훔친 물건들을 어디에 썼는지 말해보실까? 말하지 않으면 두 번 다시 동생들을 볼 수 없게 될 거야."

결국 진은 파란 머리 인간이 숲에서 배를 만드는 데 사용했다고 말했다. 그 말을 들은 카이는 당장 그곳으로 안내하라며 집 모형을 손으로 부쉈다. 진은 카이와 병사들에게 이끌려 발트의 오두막으로 향했다. 그렇게 파랑이가 만들어준 집 모형은 산산이 조각난 채 버려졌다.

발트는 말다툼 끝에 파랑이가 집을 나가자 생각에 잠겼다. 바다로 나간다니, 배라도 만든 것이란 말인가. 그럴 리 없다고 생각했다. 하지만 틀림없었다. 파랑이는 배를 만든 것이다. 말려야 한다. 어떻게든 위험해질 것이다. 발트는 의자에서 벌떡 일어나 문을 열었다. 그런데 이미 집 앞에는 카이와 병사들 그리고 진이 서 있었다. 발트는 카이를 노려보았다.

"무슨 일이오."

"파란 머리 인간이 수상한 짓을 한다는 신고를 받았다. 무슨 말인지 당신은 알고 있겠지?"

카이가 고개를 까닥하자 병사들이 칼로 위협하며 발트를 끌고 갔다. 결국 발트와 진은 병사들에게 잡혀 숲을 지나 파랑이의 아지트로 향했다. 발트는 너무나 불안했다. 무슨 일이 되었든 파랑이에게 위험한 일이었다. 제발 아무 일도 없길 바랐다. 그러나 숲을 지나고 넓은 공터가 나오자 발트의 걱정은 현실이 되었다. 나무로 만든 배 한 척이 햇살을 받으며 자리 잡고 있었다. 이윽고 배 위에서 돛을 묶던 파랑이가 보였다. 이를 발견한 병사들은 곧장 파랑이를 배에서 끌어 내렸다. 다급해진 발트는 파랑이를 놓아주라고 말했다. 배는 자신이 만든 것이라며 파랑이는 죄가 없다고 거짓말했다. 하지만 카이는 모든 것을 알고 있었다. 파랑이는 병사들에게 붙잡혀서 카이 앞에 끌려왔다. 진은 멀리서 그 모습을 바라보고 있었다. 카이의 명령에 병사들은 들고 있던 횃불을 파랑이의 배에 붙였다.

"안 돼! 그러지 마. 제발 부탁이야. 태워버리지 마!"

파랑이의 절규에도 배는 불이 붙어 타오르고 있었다. 이윽고 연기가 피어오르며 배는 검게 타들어 갔다. 마지막 남은 마음마저 잿더미로 만들려는 듯 모든 것이 불타고 있었다. 파랑이는 병사들에게서 탈출하려 발버둥 쳤다. 서러움에 울부짖었지만 아무것도 할 수 없었다.

"파란 머리! 이 배로 바다를 나갈 셈이었나? 크라켄의 저주를 불러와 수많은 성을 위험에 빠트릴 생각이었나!? 여왕의 유언이 아니었다면 너희는 벌써 처형 됐을 것이다. 그럼에도 은혜를 모르는 너 같은 파란 머리들은 사랑받을 자격이 없다. 평생 감옥에서 썩게 해주마!"

카이와 병사들은 울고 있는 파랑이를 끌고 성으로 향했다. 파랑이를 구하려던 발트는 병사들에게 치여 바닥에 쓰러지고 말았다.

모두가 떠나고 자리에 주저앉은 발트의 머릿속에 '사랑받을 자격이 없다.'는 말이 머물렀다. 아주 오래전 루시는 바다처럼 파랗고 깊은 색의 여자였다. 긴 생머리에 웃는 모습이 아름답던 아내였다. 사람을 좋아하고, 햇살보다 더 따뜻한 마음씨를 가졌던 그녀다. 그런 그녀가 사랑받을 자격이 없던가? 그렇지 않다. 그동안 파랑이를 키우며 파랑이의 상처들을 돌봤다. 세상에 버려진 채 아무도 찾지 않았고, 아무도 좋아해 주지 않았다. 친구를 만들고 싶어 했고, 모험을 하고 싶었을 뿐이다. 땅에 떨어진 작은 새조차도 사랑해 주는 아이다. 그런 아이가 사랑받을 자격이 없다는 것은 전부 헛소리다. 사랑받을 자격을 만드는 것은 도대체 누구란 말인가. 그저 열일곱 살의 저 아이가 무슨 잘못을 했단 말인가. 파란 아이로 태어난 게 죄라면, 그저 파란 머리를 가지고 태어난 게 죄가 되는 세상이라면, 그런 세상 따윈 차라리 무너지는 게 낫다. 크라켄이 있는 저 바다가, 어딘가 있을 파랑이의 새로운 세상이, 차라리 살아갈 가치가 있으리라.

발트는 검게 불타버린 파랑이의 배를 보며 눈물을 흘렸다. 그리고 타버린 한 줌 재를 쥐어 잡고 마음을 굳혔다. 반드시 파랑이를 바다로 내보내겠다고. 발트는 묵묵히 집으로 돌아왔다. 그리고 낡은 상자에서 망치를 꺼내 들었다. 발트가 과거에 잡았던 망치였다. 망치를 든 발트가 향한 곳은 자신이 만들었던 배를 숨겨둔 곳이었다. 나무를 치우고 천을 걷어내자 이젠 여기저기 녹슬고 망가져 있는 배가 보였다. 발트는 조심스럽고 부드럽게 배를 어루만졌다.

"루시, 미안하오. 내가 너무 늦었소."

발트는 곧장 배를 수리하기 시작했다. 그의 망치 소리가 다시금 세상에 울려 퍼졌다.

진은 불타 버린 파랑이의 배를 보며 불바다가 되었던 마을의 기억을 떠올렸다. 크라켄이 공격하던 날, 모두 대피해야 할 상황에서도 황금 머리들은 재물을 지키려 했다. 회색 머리 사람들을 방패로 이용해 돈이 들어있는 수레를 보호했다. 어떻게든 성을 지키고 싶어 강제로 사람들을 성에 남게 했다. 그 결과 그들의 부와 명예는 성이 무너져도 계속될 수 있었다. 하지만 그때 대피하라고 했더라면 진의 부모님은 살아 돌아오셨을 것이다. 진도 파랑이처럼 불타는 성을 바라보며 울부짖었다. 부모님이 제발 살아 돌아와 주길 바라는 마음으로, 불타버리지 말길 바라는 마음으로. 하지만 황금 머리들은 대피를 허용하지 않았고 결국 진의 부모님은 돌아오지 못했다. 그날 진의 세상은 모두 사라졌다. 마을로 돌아가던 진은 황금 머리들의 성을 바라보며 차오르는 분노에 주먹을 쥐었다.

감옥에 갇힌 파랑이는 모든 것을 포기했다. 차라리 태어나지 말았더라면 이런 고통도 슬픔도 느끼지 않았을 것을, 차라리 할아버지의 눈에 띄지 않았더라면 세상에서 지워지지 않았을까 생각했다. 감옥의 검은 그늘 안으로 파랑이는 자꾸만 자신을 밀어 넣었다. 이따금 간수들이 던져주는 물과 빵조각을 파랑이는 먹지 않았다. 어둠 속에서 나오지 않았다. 그렇게 하루, 이틀, 사흘, 파랑이는 점점 지쳐갔다. 그래도 괜찮았다. 이대로 며칠만 더 지나면 더 이상 고통 받지 않고 영원히 잠들 수 있을 것 같았다. 그러면 아무도 자신을 미워하지 않을 것 같았다. 파랑이는 세상과 이별하듯, 잠자는 시간이 점점 늘어만 갔다.

달 밝은 밤, 발트는 망치와 정을 챙겨 성 지하 감옥으로 향했다. 숲을 지나 언덕을 올라가던 발트는 언덕 아래 깊은 물길을 발견했다. 발트는 나뭇가지로 물길을 가려 함정을 만들고 성안으로 향했다. 늦은 밤이라 경비들이 게으름을 부리고 있었다. 발트는 평소처럼 쓰레기를 챙기러 왔다고 말하며 유유히 감옥으로 들어갔다. 재빨리 감옥들을 살펴봤다. 하지만 파랑이는 어디에도 보이지 않았다. 발트는 걱정스러운 마음에 허겁지겁 파랑이를 찾기 시작했다. 그러자 저 멀리 달빛조차 들지 않는 어두운 감옥이 보였다. 발트가 그곳에 다가가자, 파랑이가 구석에 쭈그리고 앉아있었다. 온몸은 상처투성이에 몹시도 야위어 있었다. 발트는 조심스럽게 파랑이를 불렀다. 그러자 파랑이는 고개를 들어 발트를 바라보았다. 발트는 가방에서 망치와 정을 꺼내 자물쇠를 두드리기 시작했다. 조금만 참으라는 발트의 말에도 파랑이는 모두 소용없는 일이라며 움직이지 않았다. 파랑이는 자신을 그냥 내버려 두길 바랐다. 하지만 발트는 포기하지 않고 자물쇠를 두드리며 말했다.

　"아주 오래전, 널 만나던 날. 너는 나에게 루시의 목걸이를 주었다. 그건 내가 남은 삶을 바쳐서라도 찾아야 할 귀중한 물건이었어. 그래서 네가 자라나며 어떻게든 널 이 섬에서 살게 해주고 싶었단다. 바다로 나가는 게 뭐라고, 배를 만드는 게 뭐라고, 또다시 누군가를 잃고 싶지 않았다. 하지만 너도, 루시도 이제 보내줘야 할 것 같구나."

　발트는 마지막으로 힘껏 망치를 내리쳤다. 그러자 쾅! 소리와 함께 자물쇠가 부서졌다. 파랑이는 놀란 얼굴로 발트를 바라봤다. 발트는 감옥 문을 벌컥 열고 말했다.

"파랑아, 어서 나오너라. 너에게 나와 루시의 배를 주마!"

발트는 파랑이를 향해 손을 뻗었다. 그러자 파랑이는 천천히 발트의 손을 잡았다. 파랑이를 일으킨 발트는 파랑이를 안고 다독여주었다. 어둠 속에서 나온 파랑이는 그동안 서러움에 눈물을 흘리고 있었다. 그렇게 발트와 파랑이는 함께 감옥을 나와 성 밖을 향해 도망쳤다. 하지만 자물쇠가 부서지는 소리에 놀란 병사들이 발트와 파랑이를 쫓기 시작했다.

발트와 파랑이는 경비병을 밀치고 하수구 길을 통해 성 밖으로 빠져나왔다. 그들 뒤로 칼과 창을 든 수많은 병사가 발트와 파랑이를 추격해 왔다. 뎅뎅뎅! 성 꼭대기에서 경비병이 비상종을 울렸다. 시장에 있던 진은 종소리에 놀라 광장으로 달려 나왔다. 병사들이 다급히 성 밖으로 향하자 진도 그들을 따라 성을 나왔다. 저 멀리 파란 머리 사람이 도망치고 있었다. 자세히 보니 파랑이였다. 진은 도망치는 파랑이를 보며 무언가 마음먹은 듯 바닷가로 달려갔다.

그 사이 발트와 파랑이는 재빨리 비탈길을 따라 언덕을 내려갔다. 바닷가 앞에 발트의 배가 놓여 있었다. 선체에 철갑을 두른 튼튼한 배였다. 배 아래 쪽엔 통나무들이 껴있었다. 배를 밀기만 하면 곧장 바다에 들어갈 수 있었다. 추격하던 병사들이 언덕을 타고 뛰어 내려왔다. 발트와 파랑이가 잡히려 할 찰나, 병사들은 발트가 나뭇가지로 만들어 놓은 함정에 모두 빠지고 말았다. 그 모습에 발트와 파랑이는 처음으로 함께 미소 지었다. 이제 곧 바다로 나갈 수 있다는 희망이 보였다. 둘은 바다를 향해 달려갔다. 드디어 숲의 끝에 다다를 즈음 성 꼭대기에서 카이가 이를 지켜보고 있었다. 잔뜩 화가 난 카이는 궁수들에게 발사 명령을 내렸다. 그러자 수십 명의 궁수가 일제히 하늘을 향해 활을 쐈다. 날카로운 화살들이 발트와 파랑이를 향해 장대비처럼 쏟아졌다. 화살들이 파랑이에게 달려드는 순간, 발트는 몸을 날려 파랑이를 감싸 안았다. 칼날 같은 화살들은 잔혹하게 발트의 등에 꽂히고 말았다.

"할아버지!"

놀란 파랑이가 발트를 바라보며 커다란 눈으로 눈물을 흘리고 있었다. 발트는 힘겹게 몸을 일으켜 나무에 기대었다. 숨이 차오르며 가슴은 붉게 물들고 있었다. 저 멀리 말발굽 소리와 함께 카이와 병사들이 쫓아오고 있었다. 파랑이는 발트를 두고 갈 수 없었다. 파랑이가 발트를 부축하려 하자 발트는 고개를 저었다. 눈물을 글썽이는 파랑이에게 발트는 루시의 목걸이를 건네주었다.

"파랑아, 가서 너의 세상을 살거라."

목걸이를 받아 든 파랑이는 눈물을 참고 달리기 시작했다. 바다로, 발트의 배로 달려갔다. 발트를 만나던 순간, 혼나던 순간, 사람들에게 괴롭힘당하고 위로받던 순간까지, 모든 것을 가슴속에 담았다. 잃고 싶지 않은 소중한 추억들을 가지고 드디어 배가 있는 곳에 도착했다. 파랑이는 있는 힘껏 배를 밀었지만 배는 꿈쩍도 하지 않았다. 그 순간 '탁!' 누군가의 손이 배를 밀었다. 진이었다. 진은 "어서 밀어!" 하며 파랑이와 온 힘을 다해 배를 밀었다. 드디어 배의 선체가 바다 위에 올라섰다. 놀란 파랑이가 진을 바라보자, 진은 파랑이에게 선물하려던 바람 무늬 망치를 내밀었다.

"야! 파란 머리, 언젠가 집을 만들어 준다던 그 약속 꼭 지켜라!"

올먹이며 고개를 끄덕인 파랑이는 망치를 받아 들고 배에 올라탔다. 점점 바다로 나가는 파랑이의 배를 보며 진은 손을 흔들어 주었다. 파랑이도 진을 향해 힘껏 손을 흔들었다. 그렇게 파랑이와 헤어진 진은 동생들을 데리고 섬에서 가장 먼 숲으로 향했다. 진은 곧 무슨 일이 일어날지 알고 있었다.

발트는 파랑이의 배가 바다로 향하는 것을 바라보았다. 삶에서 가장 흐뭇한 순간이었다. 아픔은 느껴지지 않았다. 오히려 고된 하루 일을 마치고 집으로 돌아가는 것처럼 홀가분한 기분이었다. 그리운 오두막집, 루시가 웃으며 반겨주던 그 집 말이다. 그렇게 생각하니 입가에 미소가 지어졌다. 해가 지는 바닷가 멀리 오두막집 앞에 루시가 보였다. 루시를 보자 발트는 환하게 웃으며 달려가 안아주었다. 이제야 포근하고 따뜻한 루시의 품에 돌아왔다. 이보다 더 바랄 것이 없다고 생각했다. 그렇게 죽음의 문턱에서 발트는 천천히 눈을 감았다.

"루시, 부디 저 아이의 바람을, 젊은 날의 우리 바람을 이룰 수 있게 도와줘."

발트는 그렇게 숨을 거두었다. 편안한 미소와 따뜻한 마음을 간직한 채 세상을 떠났다. 분명 그리워하던 곳으로 갔으리라. 세상은 애도하듯 바람을 불어 그의 머릿결을 쓰다듬었다. 발트의 마음을 담은 듯 바람은 바다로 향했다. 그리고 힘껏 파랑이의 배를 밀어주었다. 파랑이의 배가 바다로 향하자 깊고 어두운 바닷속에서 거대한 무언가가 두 눈을 뜨기 시작했다.

말을 탄 카이와 병사들이 파랑이를 추격해 달려왔다. 카이는 숨을 거둔 발트를 보고 만족한 듯 '씨익' 웃었다. 말에 채찍을 가해 더 빨리 바다로 향했다. 파랑이는 추격해 오는 병사들을 발견하고 진이 선물해 준 바람 무늬 망치를 들었다. 파랑이가 끈을 묶은 나무를 내리치자, 펄럭! 소리를 내며 새하얗고 커다란 돛이 펼쳐졌다. 파랑이의 배는 속력을 더해 바다로 나아갔다. 그러나 이미 카이와 병사들은 바닷가에 다다랐다. 카이는 병사들에게 파랑이를 잡아 오라고 명령했다. 그러자 수십 명의 기마병들이 파랑이의 배로 달려들었다. 그런데 그 순간 쾅! 하고 바다에서 거대한 촉수가 튀어나왔다. 마치 성벽 같은 촉수에 놀란 병사들이 사방으로 도망치며 소리쳤다.

"크라켄이다! 크라켄이 나타났다!"

촉수는 채찍처럼 순식간에 병사들을 쓸어버렸다. 공중으로 날아간 병사들을 보며 카이는 넋이 나갔다. 하지만 그것도 잠시, 촉수는 카이의 머리 위로 날아왔다. 놀라 도망치려던 카이를 촉수는 거대한 몸으로 찍어 눌렀다. 카이의 잔혹한 죽음과 함께 바다에 커다란 파도가 일어났다. 그리고 그 중심에서 괴물 크라켄이 모습을 드러냈다. 크라켄의 물살에 밀려 파랑이의 배는 더욱 바다를 향해 나아갔다. 흔들리는 배속에서 파랑이는 키를 잡고 놓치지 않으려 사투를 벌였다. 배는 가라앉을 듯 이리저리 흔들렸지만 파랑이는 포기하지 않았다. 크라켄은 회색 섬 위로 올라와 열 개의 촉수를 휘둘렀다. 황금 머리들의 높은 성은 크라켄의 공격에 속수무책으로 무너지기 시작했다. 수많은 병사가 활을 쏘고 창을 찔렀지만 크라켄에겐 아무런 상처를 입히지 못했다. 크라켄이 촉수를 한번 내려칠 때마다 지진이 일어나듯 땅이 흔들렸고, 병사들은 혼비백산하여 도망치기 바빴다. 성은 무너지고 여기저기 불타오르는 가운데 크라켄은 천둥 같은 괴성을 질러댔다.

점점 멀어지는 회색 섬을 뒤로 파랑이는 키를 힘껏 붙잡고 배의 흔들림을 멈추려 애썼다. 크라켄의 거친 물살에도 배는 부서지지 않았다. 이윽고 파랑이의 배는 안정을 찾고 순풍을 맞으며 전진했다. 배가 순항하기 시작하자 파랑이는 멀어지는 회색 섬을 바라보았다. 황금머리들의 성을 무너트린 크라켄은 서서히 바다로 돌아가고 있었다. 파랑이는 흩어진 배의 물건들을 정리하고 돛을 당겼다.

이윽고 바다는 아무 일 없었다는 듯 잠잠해지고 고요해졌다. 파랑이의 배가 물살을 가르며 달려 나갔다. 파랑이는 바다를 항해하며 주머니에서 루시의 목걸이를 꺼냈다. 그리고 조심스럽게 펜던트를 열어 보았다. 발트와 루시 둘의 사진이 들어있었다. 젊은 날의 모습 그대로. 파랑이는 사진을 보며 할아버지 생각에 흐르는 눈물을 닦았다. 목걸이를 소중히 목에 걸고 옷 속으로 품었다. 파랑이는 손에 힘을 주어 키를 잡고 바다를 건너는 것에 전념했다.

그날, 파랑이는 진정한 삶의 항해를 시작했다.

끝없이 펼쳐진 푸른 바다.

새하얀 돛을 단 파랑이의 배가 전진하고 있었다.

그 어딘가를 향하여.

「그 사랑 야훼께 감사하여라!」

文 景

文 景　　23살에 대학을 졸업하고 엄마의 강요로 수녀원에 바로 입회 했다. 지원
기 때는 쫓겨 나기 위해 온갖 말썽을 피웠다. 그러나 수련 1반 때 신학교
에서 나온 동생 때문에 엄마가 쓰러지실까봐 ISTJ, 6번 유형이 되기를
요구하는 수녀원에서 만 8년을 버티다가 종신서원 전에 퇴회했다.

실제로는 ENFP, 7번 유형으로 수녀원에서의 별명은 사운드 오브 뮤직
의 마리아, 시스터 액트, 아이디어 뱅크, 행사 대행업체 사장 등이 있다.

"샬트르 성 바오로 수녀회 수녀들은 교회 안에서 정결, 가난, 순명의 서원을 발함으로써 그리스도께 축성 받은 이들이다."

- 생명의 책 8항-

"행- 복 하여-라! 행복하여-라! 마음-이 가난한 사람들…"

잠시 하늘이 열렸던 것 같다. 천사들의 음성이 사람들의 마음에 은 총처럼 내려왔다. 노랫소리가 성당의 높은 천장에서 공명하며 더 신 비스러운 분위기를 만들어 냈다. 2003년 2월 5일 새벽 6시. 아직 해 가 뜨지 않은 시간이었다. 8명의 수녀가 손에 든 촛불이 거룩함이 빚 어낸 침묵의 어둠을 밝혔다.

첫 서원이 있기 4년 전 명동대성당이 진주처럼 품고 있는 샬트르 성 바오로 수녀원에 16명의 지원자가 입회 했다. 23살 막내인 나부터 33살의 맏언니까지 세상의 모든 것을 버리고 하느님을 따르기 위해 상복(喪服)인 수도복으로 갈아입었다. 세상에서 죽었다는 의미였다. 청원자 때 5명의 동기가 수도 생활을 포기하고 나갔다. 첫 서원 몇 달 전에 피아노를 잘 치고 영어를 잘하던 소피아 수녀가 나갔다. 하루하루는 큰 슬픔이고 고통이었다. 매일 마음으로 짐을 싸고 풀기를 반복했다. 그러나 수도 생활이라고 고행으로만 하루가 채워지는 것은 아니었다. 재미있는 일도 많았다. 수련 2반 때였다. 휴가 갔던 삼척 바다에서 사진을 찍는 척하다가 라파엘라 수녀를 바닷물에 빠뜨렸다. 수련장 수녀에게 장난꾸러기 류 아녜스를 어쩌면 좋아하면서 가방으로 엉덩이를 맞았다. 바닷물에 나도 같이 빠졌는데 이미 걸려있던 여름 감기가 심해졌다. 수련장 수녀는 진부 휴가 집으로 가는 길에 가게에 들러서 2리터 오렌지 주스 12병을 샀다. 나에게 내려진 벌이었다. 기침이 심해져서 3박 4일 휴가 기간 동안 혼자 다 마셔야 했다. 350명 정도가 같이 사는 본원 수녀원에 오렌지 주스 같은 건 없었다. 동기 수녀들은 수련장 몰래 자기들도 주스 좀 마시면 안 되냐고 물어봤다. 내 말이라면 무조건 반대를 했던 김 쏠리나 수녀도 그 높은 콧대를 낮추고 주스 좀 먹어도 되냐고 했을 때의 통쾌함은 이루 말할 수 없었다. 휴가 집을 동부 아동 시립 센터랑 반으로 나눠서 썼는데 선생 수녀 몰래 문을 따고 들어가서 만화책을 훔쳐 오는 것도 1년의 한번 가는 휴가의 즐거움이었다.

저녁에는 수련원에서 끝기도를 바치는데 수련장 수녀에게 청할 것이 있거나 잘못한 일이 있으면 자진 고백을 해야 했다. 그 과정에서 따로 교육이 필요한 수녀는 수련장 방으로 불려 갔다. 평균적으로 한 명의 수녀가 수련장 방으로 들어가는 경우는 1년에 한 번 정도였다. 나는 1년에 360번 불려 갔다. 정말 많은 일이 있었지만, 그중에서도 가장 큰 사고는 제의방 소임을 할 때 주수병[1]를 깬 사건이었다. 150만 원이 넘는 크리스털 병이었다. 본원장 수녀가 수련장을 찾아와서 어떻게 할 거냐고 따졌다. 수련장은 성급히 지갑을 들고 어디론가 외출하고 돌아왔다. 깨진 주수병과 똑같은 주수병을 사러 갔으리라. 끝기도 시간에 수련장 수녀에게 갔다. 나는 죽었다고 생각하고 있는데 내 친구들이라는 성당 만화책을 줬다. 가서 이거나 읽고 놀라는 말과 함께. 내가 이미 너무 놀랐기 때문에 더 혼낼 필요도 없다는 것이었다. 그 당시 수녀원에서는 요즘 유행하는 MBTI와 에니어그램을 심화 과정까지 가르쳤다. 우리 수도회는 모든 수녀가 ISTJ, 6번 유형으로 변조되도록 훈련했다. 수도회가 원하는 가장 이상적인 수도자의 모습이었다. 배 속에 있을 때부터 수녀가 되어야 한다고 세뇌당한 나는 엄마 손에 이끌려 대학을 졸업하자마자 수녀원에 와야 했다. 오기는 했는데 사회생활도 안 해 보고 수녀원에 들어온 23살의 ENFP, 7번 유형인 내 모습은 사운드 오브 뮤직의 마리아였다. 5시에 기상인데 너무 긴장한 나머지 3시가 넘어서야 겨우 잠들 수 있었다. 잠시 눈을 붙이고 5시 15분 성당에 앉아야 마음이 놓이면서 잠을 오는 것이었다. 기도 시간에 매일 자니 마법 세계에서의 해리포터만큼이나 수녀원에서

---

1 주수(酒水)병; 가톨릭에서 미사시간에 예수 그리스도의 피가 된다는 포도주와 물을 담는 병.

유명해졌다. 그나마 막내라는 이유로 선생 수녀들에게 귀여움을 많이 받았지만, 늘 물가에 내놓은 아이였다.

서원미사는 순조롭게 진행되었다. 강론이 끝나고 서원이 시작되었다.

"성부와 성자와 성령의 이름으로, 저, 류문경 아녜스는 성령의 도우심을 받아 사람들을 섬기며 하느님의 나라를 위해 저 자신을 봉헌하고자 하나이다. 1년 동안 정결과 가난과 순명의 삶을 서원하나이다. 아멘."

서울 관구의 관구장 수녀가 그리스도의 정배가 되었다는 표식으로 서원을 발한 나와 동기 수녀들에게 십자가를 주었다. 십자가를 받아든 우리는 반주 없이 찬미가를 불렀다.

"당신께 가기 방해 되는 거 모두 없이 하소서. 내 주 천주여,

당신께 가게 모든 것을 주소서. 내 주 천주여, 나 자신을 정성 되이 바칩니다."

이틀 후에 소임지를 배정받기 위해 성당에 모였다. 오후 시간이라 성당 제대 벽 정 가운데 3m는 족히 됨직한 반원 스테인드글라스 창으로 형형색색의 빛이 넘실거렸다. 성당이 하느님의 현존으로 가득 찬 것 같았다. 순명서원을 한 우리는 이제 어느 소임지로 가게 될 것인가? 설렘과 동시에 잘할 수 있을까? 하는 걱정이 우리의 마음을 두근거리게 했다.

소임을 받기 위해 모인 선배 수녀님들까지 합하면 250명은 넘게 있는 것 같았다. 관구장 수녀가 제대 앞 의자에 앉아 일일이 책상 위에 있는 수녀들의 소임지를 발표하였다.

"류 아녜스 수녀, 첫 소임지는 서천성당입니다."

갑자기 거의 모든 수녀의 시선이 걱정과 의아함의 눈빛으로 나를 향했다. 서천성당? 유기 서원자들은 본원인 명동에 적어도 한 달에 한 번은 와서 교육과 지도를 받게 되어 있었다. 사정이 그렇다 보니 자연히 유기 서원자들은 보통 서울이나 근교에 있는 성당이나 학교, 병원 등으로 파견되었다. 그런데 첫 서원자가 머나먼 서천성당으로 가게 되었으니, 장내가 술렁이는 건 당연했다. 나중에 알게 된 사실이지만 물가에 내놓은 애 같은 말괄량이 아녜스 수녀를 아무 성당이나 보낼 수는 없었다고 한다. 그래서 전에 수련원의 선생이었던 현 카나리나 수녀가 원장으로 있는 서천성당으로 발령이 난 것이었다.

다음 날 서천성당에 도착했다. 성당보다 먼저 나를 반긴 건 수녀원에서 키우는 작고 하얀 강아지였다. 수녀원의 낮은 담이 주황색 기와지붕을 얹은 1층짜리 작은 집을 감싸고 있었다. 마당에는 원장 수녀가 가꾸는 작은 텃밭이 있었다. 마당에 난 작은 길을 따라 들어가니 아래 부분은 쇠로 윗부분은 유리로 만든 현관문이 나왔다. 수녀원은 가운데 공동 방으로 사용하는 거실이 있었고 화장실이 딸린 방이 2개, 손님방이 하나 있었다. 수련원에서는 8명씩 공동으로 방을 써야 했는데 방이 생겨 기분이 좋아진 나는 가방을 내려놓고 수녀원을 나섰다. 수녀원은 성당 마당 옆에 있었는데 마당과 성당의 높이 차이가 2.5m 정도는 되는 것 같았다. 성당 마당과 성당이 접하는 면에는 여러 모양의 커다란 돌을 비스듬히 쌓아 놓은 장소가 있었는데 사이사이 철쭉 같은 꽃나무를 심어 웅장한 정원 같은 모습을 하고 있었다. 양식으로 보아서는 같은 대전교구의 공세리 성당 마당과 비슷했다. 정 중앙에는 하얀색 성모상이 있었는데 사람만 한 크기였다. 수녀원을 지나 성당에 도착하기 위해선 성당 마당 측면으로 난 15도쯤 경사진 비탈길을 올라가야 했다. 비탈길 끝에는 사무실과 교리실로 사용하는 하얀색 2층 건물이 있었다. 1층은 수녀원과 같은 높이로 수녀원 담을 마주 보고 있었고 2층은 성당과 같은 높이로 성당을 마주 보고 있었다. 크고 작은 교실에는 책상과 의자, 교탁이 있었는데 그 위에 아이들의 교리책으로 보이는 책들이 몇 권 굴러다니고 있었다.

성당은 명동성당보다는 밝은 붉은 색 벽돌로 지어진 건물이었다. 벽돌을 하나하나 쌓아서 정성스럽게 올린 것 같았다. 성당 중간중간에 세로로 길게 뻗은 직사각형과 위의 두 면이 살짝 휜 것 같은 착시 현상이 생기는 삼각형이 위아래로 합쳐져 각각 하나의 유리창을 이루었다. 성당 벽돌도 유리창의 모양을 따라 쌓아 마치 윗부분은 물고기의 아가미처럼 보이기도 했다. 중앙 제단은 작은 점박이의 대리석으로 되어 있었는데 세 개의 계단 중 위의 2개까지만 붉은색 카펫을 깔아 놓았다. 제단 위에는 연회색 대리석으로 만든 제대가 있었고 그 뒤에 성당의 진짜 중심인 예수 그리스도가 못 박혀 있는 대형 십자가가 걸려 있었다. 제대 왼쪽으로 난 문 뒤에는 전례 담당인 내가 주로 사용하게 될 제의실[2]이 있었다.

제대를 중심으로 중앙 통로 양옆에는 8명은 앉을 수 있는 긴 의자가 뒤에까지 놓여 있었다. 성당은 이쯤에서 파악이 된 것 같은데 갑자기 중고등부 주일학교 아이들은 무슨 재미로 오는지. 한 시간이나 되는 지루한 미사 시간을 어떻게 견디고 있는지 궁금해졌다. 나는 학생들에게 직접 이야기를 들어보기로 했다.

학생회 간부들과 처음 만난 곳은 강당으로도 사용하는 가장 큰 교리실이었다. 그날 세 명의 서천성당 중고등부 대표 학생들이 얼굴을 드러냈다. 제일 먼저 나에게 자기소개를 하면서 인사를 한 사람은 학생회장 서미경이었다. 고등학교 2학년인 미경이는 무슨 말만 하면 웃는 단발머리에 동그란 안경을 쓴 귀여운 여학생이었다. 수줍음을 많이 타지만 내면의 힘이 엿보이는 아이였다. 믿음직했다. 왜 아이들이 미경이를 회장으로 뽑았는지 짐작이 갔다. 부회장은 성당 진돗개 토니와 너무 닮아서 진토니라고 애칭을 지어 주게 된 고등학교 1학년 진현민이었다. 약간은 검은 피부에 금방이라도 눈물이 떨어질 같은 선하고 이쁜 눈을 가진 아이였다. 첫인상만큼이나 순하고 착한 아이였다. 현민와 동갑인 강우빈은 총무를 맡았는데 1센티도 안 되는 짧은 스포츠머리를 하고 왔다. 우빈이의 눈은 에너지가 이글이글 끓고 있

2   제의실: 가톨릭에서 드리는 미사는 그리스도의 희생제사라고 한다. 따라서 미사를 드리는 장소를 제대라고 하고 미사 때 사제가 입는 옷을 제의(祭衣)라고 한다. 제의실에는 제의뿐 아니라 복사들의 옷과 신발, 여러 가지 전례용품을 보관하는 곳으로 사용된다.

는 것 같았다. 내가 좋아하는 만화책 슬램덩크의 강백호가 밖으로 튀어나온 것 같았다. 아이들에게 인사를 하고 바로 궁금한 것을 물어보았다.

"안녕! 나는 이번에 새로 온 류 아녜스 수녀님이야. 앞으로 잘 부탁해. 너희들이랑 성당을 신나는 곳으로 만들고 싶어. 그런데 중고등부 미사에 아이들이 25명 정도밖에 안 온다며? 우리 성당에 그렇게 멋있는 언니 오빠들이 없다는 뜻인가? 잘생긴 친구라도 데리고 오던가. 아니면 너희들이 멋진 언니 오빠 해볼래?"

아이들은 어쩔 줄 몰라 했다. 성당에 아이들이 오고 안 오고는 교사들이 재미있게 해주느냐? 아니냐에 달린 일인 줄 알았는데, 너희들이 어떻게 하느냐에 따라 아이들이 많아지거나 적어지는 거라고 했더니 당황하면서도 중요한 사람이 된 것 같아 신나 보였다.

"아이들이 안 오는 이유가 뭐라고 생각해? 일단 성당에 와야 예수님을 만날 수 있을 텐데. 어떻게 해야 성당에 올까? 너희들의 생각을 말해 주면 좋겠어. 수녀님이 도울 수 있는 일이면 뭐든지 다 해줄 생각이니까."

아이들에게 돌아온 대답은 밴드 미사였다. 성당에 드럼이 있으면 아이들이 신나서 많이 올 거라고. 그전에도 몇 번 교사들에게 얘기했지만, 악기를 사기도 어렵고 또 밴드 미사를 본당 신부에게 허락받기도 어렵다고 했다. 자기들은 밴드 미사를 너무 하고 싶지만 할 수 없다고 하소연했다. 아이들이 돌아가고 생각을 정리해 보았다. 밴드는 중학교 1학년부터 원하는 아이들이 모두 악기를 배울 수 있게끔 밴드부를 운영해 주어야 한다. 어떻게든 악기는 구할 수 있어도 몇 명 아이들의 전유물이 된다면 처음에는 신기해서 나올지 몰라도 오히려 소외감으로 등을 돌릴 수도 있다. 우리 성당 아이들 전체가 새로 생기는 악기와 밴드부가 내 것이라는 생각을 하게 하려면 어떻게 해야 할까? 가장 중요한 것은 동기를 유발하는 일이었다. 바로 작전 개시에 들어갔다. 학생회장에게 전화를 걸었다.

"서미경, 다음 주 월요일 오후 5시 장항성당 간다. 부회장, 총무, 성가대 간부들하고 반주자 데리고 성당 앞으로 집합하도록. 시몬 학사님하고, 바오로 학사님도 같이 가실 거야."

수련 1반 때였다. 그때는 맡은 일이 많아 부활 성탄 같은 대축일 준비라도 할라치면 밥 먹듯이 밤을 새우던 시절이었다. 수녀원에서 나가는 모든 물건은 손으로 만드는 것이었는데 1,000개에 가까운 축하 카드와 선물을 보내는 것은 우리 몫이었다. 본원 대청소는 물론이고 연극을 하거나 행사를 기획하고 진행하는 것도 수련 1반 수녀들이 일이었다. 그런데 갑자기 음악을 가르치던 세실리아 선생 수녀가 나를 찾는다는 얘기를 들었다. 왠지 불안했다.

"류 아녜스 수녀님, 이번에 청원자들이 갑자기 여주로 가게 되었어요. 청원자들 대신 밴드 미사 반주를 해줘야겠어요. 드럼은 아녜스가 맡아요. 청원자들은 2주 후에 가니까, 드럼을 치는 실비아 자매에게 배우도록."

청천 날벼락이었다. 울면서 드럼을 배웠다. 따로 연습할 시간 같은 건 없었다. 침대에 누워서 허공에 대고 기본 박자 연습했다. 아무리 수녀원이라고 해도 정말 너무 한다는 생각이 들었다. 그렇게 수녀원의 드럼연주자가 되었다. 그런데 지금 우리 아이들이 드럼을 원한다. 전화위복이라더니. 하느님 감사합니다. 땡 큐!

성당 봉고차에서 내린 아이들은 마당, 교리실, 성당이 하나로 통합된 장항성당을 보고 압도당한 것 같았다. 조금 과장되게 말한다면 서천 성당보다 10배는 커 보였다. 아이들에게 밴드를 잠시 사용할 수 있도록 해준 김효임 골롬바 수녀가 나와 친절하게 우리를 맞이했다. 웅장한 성당 내부는 아이들을 더 주눅 들게 했다. 월요일 오후라 신자들은 아무도 없었다. 1층 성가대석 옆에 밴드 악기들이 놓여 있었다. 드럼을 보자 아이들의 입에서 환호성이 터져 나왔다. 아이들에게 성가대석에 앉으라고 하고는 드럼 앞에 앉아 연주를 위해 나사를 조였다. 양옆의 신학생들은 기타를 잡았다. 기타를 스피커에 연결했다. 각자 잠시 음을 맞추었다. 보면대 위에 악보를 놓고, 아이들에게도 성가책을 하나씩 주었다. 드럼 스틱을 머리 위로 올렸다. 착착착 쿵-짝!

"사랑한다는 말은 가시덤불 속에 핀 하이-얀 찔레꽃, 사랑한다는 말은 한 자락 바람에도 문득 흔들리는 나뭇가지, 사랑한다는 말은 무수한 별들을 한꺼번에 쏟아내는 거대한 밤하늘이다.

어둠 속에서도 환히 빛나고-"

노래를 부르면서 점점 아이들의 목소리가 중간에 박자를 나누는 드럼 소리와 함께 커졌다. 두구두구두구두구두구두구, 창창창창창창창창!

"『축제』도 한번 불러볼까?"

밴드 성가의 꽃은 역시 축제! 아이들은 그 전 해 있었던 2002년 월드컵을 방불케 하듯이 그 큰 성당이 떠나가도록 신나게 축제라는 성가를 불렀다. 야호! 성당으로 돌아오는 길은 축제의 연속이었다. 학생회 아이들뿐 아니라 주일학교 아이들이 쫓아와서 밴드 미사를 하게 해달라고 졸라댔다. 1차 작전 성공.

이제 이 밴드를 향한 열정을 어떻게 맥시멈으로 끌어 올릴 것인가? 모든 아이에게 확산해야 한다. 특정인이 아닌 모두의 것. 성당은 신부님과 어른들의 것으로 생각하는 아이들에게 너의 것이라고 얘기해주고 싶었다. 아이들은 이방인이 아니다. 주인이다. 그런 생각에 골몰해 있던 때에 마침 대전교구에서 '아뉴스[3] 음악제'를 한다는 소식이 들려왔다. 장항성당에 3학년 신학생이 안 왔지만 이제 안 오고는 못 배기겠군. 잘됐어. 진짜 음악을 좋아하는 신학생이었다. 자신의 고향이기도 한 성당에서 아이들을 데리고 밴드 미사를 할 수 있게 된다니, 신학생에게도 가슴이 뛰는 일일 것이다. 계속 하느님이 나를 돕고 계시는 느낌이었다.

"학사님, 아뉴스제 공고가 났네요. 우리가 첫 출전이라 우수상은 어려워도 뭔가 이목을 끌 수 있는 것을 한다면, 인기상 정도는 노릴 수 있지 않을까요? 인기상 상품이 전자 기타라던데. 가능할까요?"

---

3 Agnus Dei: 하느님의 어린양을 줄인 말. 라틴어. 예수님을 의미한다.

신학생에게는 마다할 이유가 없는 제안이었다. 아이들을 소집해서 똑같이 물었다. 만약 너희들이 인기상을 타온다면 우리 성당에는 전자기타가 생긴다. 수녀님이 드럼은 사줄 수 있는데 해보겠냐고. 성당 강당이 아이들의 함성으로 들썩거렸다. 아이들의 공연 기획은 3학년 프란치스코 신학생이 맡았다. 역시 우리 신학생은 음악을 사랑하는 능력자였다. 실력과 경험이 부족하다면 정성과 재미로 인기상을 노려야 한다. 우리는 인기상만 노리자! 그 당시 난타가 우리나라에 소개되면서 한참 유행하던 시기였다. 신학생은 우리 아이들이 전원 다 적극적으로 참석할 수 있는 연주 방법은 난타라고 판단했다. 그의 판단이 정중했다. 현민이와 우빈이가 허리까지 오는 커다란 파란색 드럼통을 하나씩 맡았다. 성당 마당 구석에 있었을 때는 쓰레기였는데 아이들이 두드리니 진짜 난타 북 같이 보였다. 난타 채 대신 어디선가 굵은 막대기를 주워 온 것 같았다. 드럼통 윗면, 불룩하게 나온 옆면, 윗면을 둥그렇게 감싸고 있는 테두리를 막대기로 두드리고 긁으면서 낮고 큰 저음을 내주었다. 고2였던 경수는 깡마른 체격과는 다르게 폐타이어를 절구채로 두드리고 있었다. 힘이 많이 들 것 같았는데 연습 내내 방글방글 웃는 경수가 너무 대견했다. 미경과 친구들이 빨래판을 어깨에 올려놓고 턱으로 고정했다. 흡사 바이올린을 켜는 자세 같았다. 초등부 주일학교에서 빌려온 실로폰 채로 박자에 맞추어 열심히 빨래판을 긁어대고 있었다. 더 재미있는 사실은 마치 음계가 있는 것처럼 두드리는 부위도 노래 부분에 따라 다르게 해야 한다는 거였다. 일리가 있었다. 박자에 따라 윗부분부터 아랫부분까지 쭈욱 긁고 내려올 건지, 긴급하고 짧은소리를 내기 위해 중간의 적은 부분만 긁을 것인지 그들의 손동작도 모두 안무에 들어갈 테니 거기까지 세심하게 동작을 만든 프란치스코 신학생이 존경스러웠다. 중학교 1학년 5명이 페트병에 작은 돌멩이를 7개씩 넣어서 착착착! 착착착착! 착착 착착착! 박자를 맞추어 자기 손바닥으로 치더니 차르르, 차르르르르 하고 일제히 박자를 맞추어 흔들었다. 경이로운 순간이었다. 실로폰, 탬버린, 트라이앵글, 절구통, 쇠로 만든 젓가락. 유치원용 플라스틱 의자, 두드려서 소리가 날 수 있는 것이라면 모두 악기가 되었다. 열정이 만든 발견이자 발명품이었다. 피아노, 기타, 드럼을 모두 다룰 줄 아는 프란치스코 신학생은 『그 사랑 야훼께 모두 감사하여라!』라는 복음성가를 완벽하게 분석했다. 사용한 악기, 반주 부분, 노래가 나오는 부분, 강약, 가사의 의미까지. 한 개의 작은 박자도 놓치지 않았다. 철두철미하게 박자를 나누고 악보를 그렸다. 아이들에게 자신이 내야 하는 소리와 부분을 정확하게 알려주고 끊임없이 반복해서 연습시켰다. 악기가 다르더라도 같은 박자를 소리 내야 하는 아이들을 그룹으로 묶어서 자기들끼리의 박자가 어긋나지 않게 했다. 그랬다. 우리 아이들은 누구 한 명이라도 없으면 안 되는 존재가 되어 있었다. 오로지 두드리는 소리만으로, 박자만으로 그들의 공연을 완성해 갔다. 서로의 호흡에 자신을 맞추고 신학생이 원하는 안무 동작까지 마치 하나의 물결이 된 것처럼 움직였다. 아뉴스제를 나가기로 하고 연습하기까지 3주의 시간이 흘렀다. 주일 미사도 안 나오던 아이들이 중1 학년부터 고2까지 평일에 하루도 안 빼놓고 밤 9시까지 연습을 하고 갔다.

교사들도 성당으로 퇴근해서 아이들을 격려했다. 성당에서 간식을 준 것도 아니었다. 끊임없이 두드리고 긁어대는 소리가 들려왔다. 쉬는 시간도 없이 맹연습하고 있었던 것이다. 아이들의 연습은 수녀원과 마주하고 있는 교리실 건물 1층에서 이루어졌다. 원장 수녀는 아이들의 두두둑, 두두두둑 두드리는 소리에 머리가 흔들리는 것 같다고 했지만, 말과는 달리 흐뭇한 표정을 지었다. 아이들의 진지한 태도는 본당 주임 신부는 물론이고 성당 어른들을 놀라게 했다. 동시에 드럼이 생긴다는 천진한 기대도 감추지 않았다. 드럼이 생각나서였는지 아이들이 나만 보면 웃었다. 형제가 거의 없던 아이들이 매일 만나는 친구들과 함께 만들어낸 끈끈한 연대감 덕분이었을까? 아이들에게 자신감이 차올랐다. 혼자라면 엄두도 못 냈을 것이다. 하지만 그들은 함께였다. 연습을 하는 이 순간, 드럼이라는 기적을 우리가 만들어 내고 있다는 뿌듯함이 출전의 날이 다가올수록 아이들의 얼굴에 확연하게 드러났다.

드디어 결전의 날이 밝았다. 아이들은 빨래판, 젓가락, 드럼통, 자기가 맡은 악기를 스스로 정성스럽게 꾸미고 서천성당이라는 이름을 적었다. 결의에 찬 아이들의 모습이 마치 이순신 장군이 이끄는 군사 같았다. 성당 봉고차로 악기를 실어 나르고 아이들은 신학생과 교사들의 인솔로 기차와 버스를 타고 대전으로 출발했다. 아뉴스제에 많은 성당의 주일학교 학생들이 참가했다. 예상대로 대상, 1등, 2등, 3등은 늘 출전했던 대전 시내 성당에서 모두 휩쓸어 갔다. 대전교구에서 서천성당은 말 그대로 오지였다. 하지만 서천성당 중고등부는 기죽지 않았다. 원래 목표가 인기상이었으니까. 실력이 좋은 팀은 많아도 주일학교 인원의 80% 이상이 되는 학생이 단합해서 재미있는 공연을 보여준 성당은 없었으니 말이다. 아이들은 기대에 들떠 생각했다. 이제 우리는 인기상에 호명될 것이고 전자기타를 전리품으로 가지고 가게 될 것이다. 수녀님은 우리에게 드럼을 사주실 것이고 우리 성당에는 밴드부가 생길 것이다. 나이와 상관없이 원하는 악기를 배우게 될 것이고 돌아가면서 연주하게 될 것이다. 아이들의 심장 박동이 점점 커졌다. 드디어 대전교구 2003년 아뉴스제의 인기상이 호명되었다. 서천성당이었다. 아이들은 일어나서 손뼉을 치며 소리를 질렀다. 들고 있던 모든 악기로 소리를 내었다. 이제 기타만 받아서 성당으로 가면 된다. 학생회장이 대표로 상을 받으러 나갔다. 그런데 상품이 전자기타가 아니었다. 이번 인기상 상품이 커다란 카세트 플레이어로 바뀌었다는 것이다. 주일학교에서 복음성가 틀어놓고 마음껏 들으라고 카세트를 준비했다는 것이다. 난타 공연을 하기 위해 3주 동안 같은 노래를 하루에 40번, 50번씩 들으면서 연습했는데 카세트로 성가를 들으라고? 아이들의 기대는 실망이 되고 분노가 되었다. 교구청 행사에서 미리 양해도 없이 상품을 바꿔 버린다면 이제 누구를 믿을 수 있을까? 예수를 모시는 성당 사제들이 약속을 지키지 않았다. 아이들의 신뢰는 이제 어디를 향해야 할지 모르고 상실감과 함께 바닥으로 쏟아졌다. 생각지도 않은 복병이 위기를 만들어 냈다. 우리 아이들을 절망에서 구해내야 한다. 어떻게?

성취에 관한 문제였다. 성당에서 돈으로 사준다고 해결될 문제가 아니었다. 갑자기 서천성당은 초상집으로 바뀌었다. 이걸 어떻게 해결한다? 아이들의 분노는 성당의 분위기를 지하 깊은 심연까지 끌고 내려가 슬픔으로 가득 차게 만들었다. 아이들이 모여서 한숨만 쉬고 있었다. 그걸 지켜보는 내 눈에서 피눈물이 나는 것 같았다. 돌파구를 찾아야 했다. 원장 수녀와 진지하게 이야기를 나누었다.

"아이들을 교중미사[4] 때 모두 모이게 하세요. 그리고 성당 마당에서 공연하는 겁니다. 부모들에게 보여주세요. 그들의 자랑스러운 모습을요. 얼마나 열심히 멋지게 해냈는지 스스로 증명할 기회를 다시 만들어 주세요."

원장 수녀의 많은 경험과 지혜가 만들어낸 묘안이었다. 그래 이거야말로 하느님께서 우리를 사랑하신다는 증거가 아닌가? 아이들은 부모들이 참석하고 있는 교중미사 시간에 성당 마당에 모였다. 공연을 지도하고 지휘까지 했던 신학생이 아이들을 향해 말했다.

"비록 전자기타는 상품으로 못 받아 왔지만, 부모님께 우리가 얼마나 열심히 했는지 보여드리자. 공연을 보신다면 우리를 무척 자랑스러워하실 거야. 우리가 하루도 거르지 않고 성당에서 무엇을 연습했는지 보여드린다면 그냥 헤어지는 것보다는 보람이 있잖아. 학사님이

---

4   교중미사: 보통은 주일 11시 미사로 예수 그리스도가 이 시간에 십자가에 못 박히기 시작했다고 해서 가장 중요한 미사로 정했다. 모든 교우들을 위한 미사로 특별한 일이 있지 않는 한 대부분의 신자들은 교중미사를 참석하는 것이 싸스나 코로나 같은 감염병이 생기기 전까지는 일반적이었다.

랑 난타 공연 한 번 더 멋지게 해볼래?"

아이들은 고맙게도 그렇게 하자고 했다. 성당 마당에서 공연 대열을 만들었다. 미사가 끝났다는 신호가 왔다. 성당 문이 열리고 학생들의 엄마 아빠들이 밖으로 나오기 시작했다. 스피커 볼륨을 최고로 올렸다. 빠바밤-! 빠바밤! 츠그츠그츠그츠그 빠바밤! 찬찬찬찬 짠-!

아이들의 드럼통 소리, 페트병 소리, 절구 소리, 빨래판 소리, 젓가락 소리, 막대기 소리, 의자 두드리는 소리가 박자에 맞추어 이어졌다.

"갈 길 찾지 못하고 방황하던 우리들, 어둡고 캄캄한 곳에 갇혀 있던 우리들, 투구투구투구 투구! 하느님이 어딨냐며 대들던 우리들, 알려고만 했을 뿐 느끼지 못했던 우리들 두두두두두두!"

진짜 절망 속에 갈 길을 찾지 못했던 우리들이었다. 교구청 신부들에게 느꼈던 배신감 속에 갇혀 있던 우리들이었다. 이렇게 열심히 했는데 하느님이 계시긴 한 거냐고 따지고 싶었던 마음을 노랫말이 대신해 주고 있었다. 하지만 알고 있었다. 이번에 난타로 하나가 된 우리 아이들이 자발적으로 무엇인가를 하려고 했다는 거. 성당은 그저 엄마가 가라고 해서 억지로 가는 곳이 아닐 수도 있다는 것을 아이들은 처음으로 느끼게 되었다.

"하느님은 우리를 인도하시니, 하느님의 사랑을 깨달았네. 그 사랑 야훼께 모두 감사 하여라! 우리에게 베푸신 기적들 모두 찬양하리니. 그 사랑 야훼께 모두 감사하여라! 기쁜 노래 부르며 감사하여라!"

간주가 나올 때 아이들이 군무처럼 대열을 변형시키고 안무를 하니 여기저기에서 감탄과 칭찬이 흘러나왔다.

"우리 아이들이 이렇게 잘하다니. 매일 성당에서 뭘 그렇게 두들기나 했는데 이렇게 멋있는 거였어? 난타라는 걸 처음 봤는데 정말 재밌네. 이런 게 난타구먼."

어른들의 박수와 환호성이 터지자, 아이들의 표정이 바뀌기 시작했다. 성취감. 그래 이거야. 난타 공연은 노래 가사처럼 다시 기적을 만들어 냈다. 공연을 본 주임신부의 입이 귀에 걸려있었다.

"우리 서천성당 중고등부 학생들은 지난 3주간 매일 성당에 와서 열심히 공연 연습을 했습니다. 그리고 대전 교구 아뉴스제에 처음 나갔는데도 인기상을 받아왔습니다. 오늘 이렇게 학생들이 공연하는 모습을 보니, 중고등부는 미사는 밴드로 해야겠다고 결심했습니다. 주일학교에, 밴드에 필요한 모든 악기를 사주겠습니다."

아이들뿐만 아니라 부모들까지도 만세를 불렀다. 성당 마당은 그야말로 기쁨과 흥분의 도가니가 되었다. 대전에서 잃어버렸던 성취감과 밴드 미사에 대한 열정이 아이들에게 다시 찾아왔다. 야훼의 사랑에 아이들은 다시 감사와 신뢰로 마음이 바뀌었다. 이제 기쁜 노래 부르며 찬미할 일만 남았다. 주임신부는 나를 따로 불렀다. 너무 흐뭇해하면서 필요한 모든 경비는 성당에서 지원할 테니 밴드의 악기뿐 아니라 악보, 보면대 등 필요한 모든 물품까지도 구매하라고 했다. 다음날 나는 바로 서울 종로구 혜화동에 있는 가톨릭 청소년 센터를 찾아갔다. 처음 서천성당으로 부임해 갈 때는 상당히 먼 거리였는데 악기를 사기 위해 서울로 올라가는 길은 그렇게 가까울 수가 없었다. 청소년 센터장 신부에게 부탁해서 좋은 악기를 추천받았다. 서천성당에 내려 갈 때 우선 드럼 스틱을 여러 개 사 가지고 갔다. 아이들에게 폐타이어 도 주워 올 수 있으면 몇 개 더 가져오라고 했다. 중고등부 성가대 부 속으로 밴드부를 결성했다. 배우고 싶은 악기가 있으면 이름을 적으 라고 했다. 중학교 1학년부터 원하는 친구들은 모두 이름을 적었다. 물론 예상대로 드럼이 가장 지원자가 많았다. 메트로놈도 몇 개 사 왔 다. 드럼을 썩 잘 치지는 못하지만, 드럼 악보 보는 법을 가르치고 적 는 법도 알려 주었다. 우리가 연주하는 복음성가는 따로 드럼 악보를 구하기 어렵기 때문에 음악을 듣고 박자를 나누어야 했다. 직접 악보 를 만들어 연주하는 법을 가르친 것이었다. 메트로놈으로 박자를 맞 추는 연습도 함께 해주고 폐타이어에 기본 박자 100개를 한 번도 틀 리지 않고 완성한 친구에게는 진짜 드럼에서 연습할 수 있는 기회를 주었다. 모든 아이가 신나서 연습에 왔다. 그중에서도 가장 신난 건 처 음부터 드럼을 치겠다던 우빈 이였다. 가장 강력하게 밴드가 필요하 다고 주장한 우리의 에너지 부스터는 나에게 기본 박자를 배우고 학 교의 밴드부에서도 적극적으로 드럼을 배워왔다.

리드 기타는 프란치스코 신학생이 가르쳤다. 악보 보는 법, 기본 코 드 잡는 법. 스윙. 멜로디를 연주 할때 필요한 각 줄의 음을 알려주었 다. 기타를 배우는 아이들은 부모들이 기타를 사주기도 했다. 베이스 는 1학년 두 명의 신학생이 지도했다. 낮은 음역을 연주하며 저음만을 내는 것 같지만, 알고 보면 가장 매력적인 악기가 될 수 있는 것이 베 이스 기타였다. 학생회장 서미경과 복싱하던 미경이의 동생 미연이.

그리고 고2의 안지원이 지원했다.

키보드는 성가대 반주자였던 이소희가 지도 겸 연주를 하기로 했다. 피아노를 칠 줄 아는 3명의 여중생이 키보드를 지원해서 돌아가면서 건반을 맡기로 했다. 밴드 악기가 오고 연습이 시작된 지 1개월. 우리의 첫 밴드 미사 날이 정해졌다. 드럼 총무 강우빈, 리드기타 부회장 진현민, 베이스 학생회장 서미경, 키보드는 성가대 메인 반주자인 이소희로 첫 출발을 하였다. 늘 미사 시간에 반주자가 없어서 난리였는데 서로 반주 하겠다고 행복한 반전이 일어났다. 어른들도 밴드 반주를 보고 싶어서 일부러 중고등부 미사에 오는 사람들이 생겼다. 시간이 갈수록 학생들이 더 많이 늘어났다. 그렇게 겨울이 찾아왔다.

성탄제. 여름 캠프와 함께 주일학교의 양대 산맥을 이루는 중요한 행사이다. 사정이 예전과 완전히 달라졌다. 밴드 공연은 물론이고, 아뉴스제의 영광을 되살려서 난타 공연도 준비했다. 이제 서천성당에서 난타는 효자종목이 되었다. 밴드부의 구성원들도 중학생들까지 실력이 쟁쟁해졌다. 성당과 교회 다니는 친구들은 가장 가깝고도 먼 사이였다. 같은 예수님을 믿는다고 하지만 가장 가깝지 못한 사이라고 해야 할까? 그러나 성탄제만큼은 예외였다. 종교를 떠나서 그날은 그냥 축제일뿐이었다. 상대적으로 복음성가라던가 밴드 연주가 더 활성화되어 있는 교회 친구들에게도 자신 있게 우리 아이들의 밴드 공연을 보여주고 싶었다.

"와 너희들이 진짜 멋진 언니 오빠가 되었네. 학교 친구 중에 특히 교회 다니는 친구들, 성탄제에 최대한 많이 데리고 와라. 너희의 멋짐을 마음껏 뽐내주자!"

처음 학생회 간부를 만났을 때와는 아이들의 눈빛이 완전히 달라져 있었다. 자신감이 넘쳤다. 우리 성당에도 드럼이 있었기 때문이었다. 그것도 자신들이 노력해서 사게 된 드럼이었다. 성탄제에 서천지역의 중·고등학생들이 많이 왔다. 성당 마당에서 난타 공연을 봤던 어른들의 참석률도 대단했다. 12월의 추운 밤이었지만 어느 것도 공연하고자 하는 열정과 공연을 보고자 하는 마음을 꺾을 수 없었다. 그날의 공연은 모두 성공적이었다.

성탄제가 끝나고 조용한 성당에 홀로 앉아 지난 1년간의 일을 감사하며 돌아봤다.

첫 서원을 하고 받은 십자가를 우러러보며 불렀던 찬미가가 떠올랐다.

"당신께 가기 방해 되는 것 모두 없애주시고, 당신께 가게 모든 것을 주소서."

낯선 곳이었다. 먼 곳이었다. 그러나 그리스도를 위해 모든 것을 버리겠다고 서원했으니 순명하여 떠났다.

버렸으나 나의 서원을 지킬 수 있도록 필요한 모든 것을 받았다. 바로 지금도 내 가슴을 뜨겁게 하는 아이들이었다. 2003년 서천성당의 아이들은 정말 위대했고, 그 아이들의 주일학교 수녀님이었다는 것이 자랑스럽다. 나는 지금 수녀가 아니지만 아이들에 대한 사랑은 늘 현재형이다. 이 행복한 기억이 절망에서 다시 일어나게 해주는 내 인생의 저금통이다. 그래서 나는 지금도 『그 사랑 야훼께 모두 감사하여라!』 성가를 제일 좋아한다. 아마 20년 후에도?

    * 위 이야기는 실제로 겪었던 일을 적은 수필 맞으나 본인을 제외한 모든 이름은 가명(假名)을 사용했음을 알려 드립니다.

매몰되다

표승희

표승희   흐르지 않고 고여서 곪는 이야기도 있다고 믿는 사람. 토해 내지 못하
고 삼켜서 생긴 균열에 관심이 많다. 문학의 목적은 카타르시스를 느
끼게 하는 것보다 귀 기울이게 만드는 데 있다고 여긴다. 그래서 섣부
른 해소보다는 꾸준한 관심의 힘을 믿는다. 글쓰기 실력이 부족한 것
을 알지만 창피한 단계 없이는 발전이 없기에 글을 쓴다.

여름 내복을 입은 아이는 귀가 따갑게 울어 댔다. 그보다 작은 아이는 소파에 앉아 있는 제 엄마를 바닥에 앉아 올려다봤다. 엄마는 매서운 표정으로 작은아이를 내려다봤다.

"너 왜 언니 거 건드려."

아이의 엄마는 눈을 부라리며 작은아이에게 따졌다.

"나 안 건드렸어. 난 저거 있는 줄도 몰랐어."

작은아이는 할 수 있는 한 또박또박 말했다. 엄마의 눈이 무서웠지만 거짓말이 아니라는 걸 호소하기 위해 울음을 삼켰다. 눈물이 흐르지 않게 조심하며 엄마의 시선을 피하지 않고 버텼다.

"저거 비디오 언니 친구 건데 망가져 버렸잖아."

작은아이는 말문이 막혔다. 어떤 식으로든 책임이 본인에게 돌아왔다.

"언니 친구 건데, 근데 내가 건드린 거 아닌데."

작은아이는 겨우 변명해 보았다.

"그래, 알았어."

아이의 엄마는 결코 믿지 못하겠지만 피곤하니 그만하자는 얼굴로 소파에서 일어났다.

"진짜 내가 안 그랬는데. 있는 줄도 모르는 걸 어떻게 건드려. 어떻게 망가뜨리기까지 해."

작은아이는 다급하게 엄마의 등에 대고 설명했다.

"됐어, 알았다니까."

이제 엄마는 작은아이에게 눈길을 주지 않았다.

"나는 안 그랬는데 맨날 참는데. 그러다가 딱 한 번씩 화내는 건데, 내가 안 그랬다고."

"참으려면 끝까지 참아. 9번 참고 10번 안 참으면 참은 거 아니야."

작은아이는 다시 말문이 막혔다. 사실 화낸 것도 아니라고 생각했는데 나름 타협점을 찾은 것이었다. 그런데 배로 혼났다. 참았던 눈물이 양 볼에 흘렀다. 그렇다고 소리까지 낼 용기는 없었다. 줄곧 옆에서 있던 아이가 더 악을 쓰며 울기 시작했다.

기어이 바닥 청소와 낮에 입은 옷 빨래까지 마치고 재인은 잠자리에 누웠다. 출근 전에 6시간 정도 자려면 더 일찍 누워야 했다. 바닥 청소는 아침에도 했고 빨래는 아무리 여름이어도 낮에 입은 옷 빨래를 저녁에 매일 할 필요는 없었다. 하지만 재인이 원체 깔끔하기도 했고 내일 출근해야 한다는 사실에 대한 일종의 반발로 집안일을 마쳤다. 재인은 낮의 긴장을 완전히 털어내지 못한 채 눈을 꼭 감았다.

그때 재인의 귀에서 방송 송출에 오류가 생긴 것처럼 삐- 소리가 났다. 피곤할 때 여지없이 나타나는 증상이었기에 그저 눈을 감고 있었다. 근데 소리가 잦아들 기미 없이 지속됐다. 재인은 단숨에 눈을 떴다. 이불을 젖히고 일어나 냉장고 앞에서 귀를 기울였다. 몇 걸음 다가갔다 몇 걸음 물러섰다 하는 동안 소리에 변화가 없는 것을 보니 냉장고에서 나는 소리는 아니었다. 이번에는 화장실 쪽으로 갔다. 높이 난 작은 화장실 창문에 까치발을 딛고 서서 귀를 기울였다. 여기도 아니었다. 작은 원룸에서 소리가 날 곳은 그리 많지 않았다. 방범용 필름을 붙여 놓은 창으로 향하며 재인은 미간을 찌푸렸다. 가슴이 덜컥해야 하나 싶은 그 순간 소리가 잦아들며 멈췄다. 재인은 잠옷 바람으로 그 자리에 멈춰 섰다.

화상 과외 일을 했던 때가 떠올랐다. 3개월 차에 귀에서 통증이 느껴지기 시작했고 5개월 차에 귀에 염증이 생겼다. 방 한가운데서 관자놀이를 주무르는 재인의 눈에 시계가 들어왔다. 이제 잘 수 있는 시간이 5시간도 채 되지 않았다. 눈썹 뼈를 양손으로 한 번 훑고 재인은 다시 잠자리에 들었다.

재인은 영상 편집 일을 했다. 프리랜서로 해 오던 일을 경력으로 인정받아 운 좋게 정규직으로 채용됐다. 면접 때부터 마음에 들었던 회사였다. 모니터 앞에서 각자 일하기 바빠 불필요한 사무실 정치가 없었고 복지도 업계에서 매우 좋은 편에 속했다. 사무실 한 벽면이 유리라 내부로 햇빛이 들어오고 창밖으로 소소하게나마 나무도 보였다. 일을 시작하고 다시 나무를 볼 일은 없었지만 나무가 거기 존재한다는 사실이 중요했다.

재인은 수습 기간에 있었다. 매일 출근 시간보다 40분 정도 일찍 사무실에 도착했고 한 시간 늦게 퇴근했다. 그런데도 남들보다 느렸다. 하루 8시간이 넘게 이어폰을 끼고 컴퓨터 모니터를 째려봤다. 책걸상에 붙어 있는 게 지긋지긋해서 두 번 다시 앉아 있지 않기 위해 학창 시절 열심히 공부했다. 그런데 귀소본능이라도 있는지 홀린 듯 책상으로 돌아왔다. 그래도 이 책상에는 맥 듀얼 모니터가 있었다. 취미가 일이 되어 월급도 나왔다.

그런데 다시 귀에서 맥박이 울리고 높은 옥타브의 소리가 나기 시작했다. 처음에는 자고 일어나면 잦아들었다. 이명 증상은 주로 밤에 나타났다. 그러다 이명은 낮이고 밤이고 시간대를 가리지 않고 찾아왔다. 재인은 버틸 생각이었다. 재인은 그만두는 사람이 아니었다.

유치원 때 재인은 '성실반'에 배정받았다. 다른 반은 해바라기반, 병아리반인데 그 사이에 뜬금없이 하나 있는 성실반이었다. 중학교 시절 교사들은 숙제나 교내 행사 등에 대해 헷갈리는 게 있을 때 재인에게 확인했다. 고등학교 시절 과민 대장 증후군으로 수업 중간에 나가야 할 것 같은 때가 잦았다. 재인은 미리 쉬는 시간에 교무실에 찾아가 선생님께 말씀드렸다. 선생님은 재인의 말이 끝나기도 전에 손사래를 치며 "어휴, 됐어. 그런 줄 알아. 넌 그런 거 일일이 말 안 해도 돼"라고 말하며 재인을 돌려보냈다. 대학교 때 한 번도 따로 면담하거나 강의 시간 외에 인사한 적 없는 교수가 강의 중 재인의 이름을 불렀다. 신입생 때부터 결석과 지각없이 앞자리에서 강의를 들었으니 이상한 일도 아니었다. 재인은 죽어도 학교에 가서 죽으라던 말의 화신이었다.

터질 듯한 통증에 재인은 잠에서 깼다. 귀에 누가 억지로 뭉툭한 막대기를 쑤셔 넣는 것 같았다. 눈뿌리와 어금니까지 얼얼했다. 지금 몇 시지? 깍지 낀 두 손을 뒤통수에 대고 새우처럼 웅크렸다. 눈꺼풀을 뭉갤 기세로 눈을 꼭 감았다. 아, 이거 좀 많이 아픈데.

그 순간 다시 이명이 들렸다. 날카로운 빛이 공기를 깨트리는 것 같은 소리였다. 당장 통증 때문에 괴로운 것보다 어딘가 잘못된 것 아닌가 하는 생각에 두려웠다. 그때 소리가 통증과 함께 조금씩 사그라들었다. 손깍지가 점차 느슨해졌다. 매트리스 가장자리에 허리를 펴고 앉아 재인은 생각했다. 바로 병원을 가야 하나? 아니면 119를 불러야 하나? 아니다. 119를 부를지 말지 고민이 된다는 건 119를 부를 만큼 위급하지 않다는 것이다. 뭘 하든 일단 씻고 챙기자. 그러다 병원에 가든지 말든지. 119를 부르든지 말든. 재인은 일어나 화장실로 향했다. 맥박이 평소보다 빠르고 강했다. 미간의 주름이 한층 짙어졌다. 그뿐이었다. 재인은 평소처럼 출근했다. 침착하자. 내일 휴일이니까 괜찮은 병원 알아보고 가면 돼.

어느 순간 스스로가 거꾸로 된 체 같다고 느꼈다. 굵직한 것은 스르륵 빠져나가고 자잘한 찌꺼기만 남았다. 재인은 반추하는 동물이었다. 그런데 재인의 반추는 영양가가 없었다. 덜 소화된 것을 게워서 곱씹어 보지만 거기에 중대한 것은 없고 사소한 조각들만 남아 있었다. 매일 쓰는 일기는 제삼자가 쓴 관찰 일지 같았고 자아 성찰은 사수가 주는 피드백 같았다.

　재인은 마침맞은 느낌이 오기를 기다렸다. 마침내 완성되고 온전해지기를 바랐다. 나에게 꼭 맞는 무언가로 채워지기를. 하지만 성실해지고 꼼꼼해질수록 본질에서 멀어지는 느낌을 받았다. 다 그런 것이다. 기억은 왜곡되어 불필요한 세부 사항만 남기고 사라진다. 원인 모를 불안만이 근저에 있다. 어른이 된 이상 해결하지 않으면 해결되는 것은 없다. 나이가 드는 것뿐이다. 개똥철학은 여기까지 하고 할 일을 하자. 재인은 그렇게 결론을 내렸다. 그래도 무언가 결정적인 것을 놓치고 있다는 느낌이 지워지지 않았다.

　토요일 아침 재인은 간호사가 건넨 문진표를 받아 들었다. 분홍 형광펜이 여기저기 칠해져 있었다. 재인은 이비인후과 접수 데스크에서 돼지 꼬리 같은 끈이 달린 펜으로 신중하게 문진표를 작성했다.

　"다 작성하셨어요?"

　간호사가 물었다.

　"예."

　클립보드를 건네며 재인이 답했다. 역시 초진은 귀찮았다.

　"앉아 계시면 불러 드릴게요."

　다른 환자가 없던 탓에 재인의 이름은 금방 불렸다. 의사에게 진료받고 4만 원인가 주고 청력 검사도 했다. 소형 녹음실 같기도 여느 사무실의 큐비클 같기도 한 작은 검사실에 들어갔다. 좁은 회색 공간에 의자 하나가 덩그러니 놓여 있었다. 담당자는 간단히 설명을 해준 후에 문을 닫고 나갔다. 재인은 헤드폰에서 들리는 단어를 소리 내어 말했다. 이명이 어떤 옥타브에 해당하는지 버튼을 누르기도 했다. 처음에 몇 개의 소리가 나올지 몰라서 높은 소리를 기다리다가 버튼을 누르지 못했다.

"버튼 못 누르셨나요?"

헤드폰을 통해 밖에 있는 담당자의 목소리가 들려왔다.

"네, 놓쳤습니다."

재인이 마이크에 대고 대답했다.

"네, 다시 들려 드릴게요."

몇 개의 소리가 들렸더라? 이번에는 너무 빨리 눌렀더니 너무 낮은 소리를 골라 버렸다. 더 집중했어야 했다.

재인은 검사실에서 나와 다시 대기석에 앉았다. 대기석은 애매한 빨간색의 가짜 가죽으로 싸여 있었다. 예방 접종, 비염, 돌발성 난청을 다룬 포스터를 두리번거리고 있을 때 이름이 불렸다. 진료와 청력검사 결과 귀에 물리적 이상이 있거나 청력에 문제가 있지는 않다고 했다. 의사는 한 번 이명이 들리면 계속 거기에 집중하게 된다며 소리에 귀 기울이지 말라고 했다. 귀를 파지 말고 이어폰 사용을 자제하라는 기본 주의 사항도 덧붙였다. 마음이 놓이는 동시에 통증에 비해 대수롭지 않은 검사 결과가 의아했다. 계산하고 처방전을 받아 병원 엘리베이터를 내려왔다.

여름비가 추적추적 내리고 있었다. 건물들은 최소한의 골목만 남기고 다닥다닥 붙어 있었다. 종로구답게 약국이 참 많기도 했다. 그중 평소에도 푸르게 빛나던 넓고 깨끗한 약국이 눈에 띄었다. 풍경 전체가 잿빛 필름을 뒤집어썼는데 그 약국만이 은은하게 빛났다. 신생 약국인지 확장과 리모델링을 한 것인지 내부가 훤히 보이는 그 약국은 반짝였다. 재인은 건물 입구 층계참에서 길 건너편 그 약국을 바라봤다. 잠시 후 재인은 회색 점퍼의 금속 단추를 탁탁 눌러 잠그고 처방전을 겨드랑이에 꼈다. 우산을 펴 들고 병원이 있는 건물 1층의 약국으로 향했다.

자취방에 돌아와 약 봉투부터 꺼냈다. 흐릿한 신발장 조명에 의지해 봉투에 적힌 내용을 읽기 시작했다. 센서 등이 꺼지지 않게 머리 위로 팔을 휘저어야 했다. 처방된 알약의 종류가 차례로 나와 있었다. 알약 모양 옆에 적힌 약의 이름과 기능을 훑기 시작했다. 그중 퇴행성 이명이라는 문구가 눈에 띄었다. 의학적으로 '퇴행성'이 무엇을 의미하는지 재인은 몰랐다. 그저 약을 먹어야 하는 옳지 못한 상태란 것만 짐작할 수 있었다. 의사에게 좀 더 이것저것 물어봤어야 했다. 하지만 검사 후 별다른 이상이 없다고 말하는 전문가에게 뭘 물어봐야 했을지 알 수 없었다.

재인은 약봉지를 내려놓고 싱크대에서 손부터 씻었다. 그리고 네 개의 스위치 중 가장 어두운 부엌 쪽 불을 켰다. 날씨까지 흐리다 보니 평소보다 더 방이 어두웠다. 재인은 어렸을 때부터 불을 최소한만 켰다. 여지없이 여기저기 불을 켜 놓고 다니는 수현을 두고 엄마가 무어라 할 때 수현은 그 자리에 없었다. 항상 재인이 그 자리에 있었다. 재인은 네 식구 중 유일하게 안경을 썼다. 약국에서 집으로 오는 길에 바람이 제법 불어 안경에 작은 물방울들이 맺혀 있었다. 희미한 조명 아래 작은 부엌이 창백하게 빛났다. 점심 약을 먹으려면 뭘 사 오든 만들든 해야 할 텐데. 검사 결과도 별것 없었으니, 병원엔 늦게 간 셈 치고 일단 눕기로 했다. 요즘 재인은 부쩍 주저앉고 싶어졌다.

탕! 청명한 여름 하늘로 새하얀 셔틀콕이 날아올랐다. 일순간 훅 떨어지는 셔틀콕을 치기 위해 재인은 푸른 코트로 몸을 던졌다. 받아내지 못하고 엎어졌다.

"아하하!"

맑은 웃음소리는 수현의 것이었다. 푸르른 코트 위 수현은 온통 새하얬다. 배꼽이 드러나는 민소매. 주름진 짧은 치마. 무릎까지 올라오는 양말. 밑창이 두툼한 운동화. 꽉 끼는 손목 보호대. 옷 사이로 드러난 촉촉한 피부마저도 희디희었다. 웃음 짓는 수현의 눈은 무지개처럼 아치를 그리고 있었다. 도톰한 입술과 투명한 볼이 수채화처럼 붉게 물들어 있었다. 땀에 젖은 검은 머리칼 몇 가닥이 결점 하나 없는 하얀 목덜미에 감겨 있었다. 햇볕에 달궈진 코트에 여전히 널브러져 있는 재인에게 수현이 다가왔다. 재인은 일어나지 않고 걸어오는 언니를 가만히 올려다보고 있었다.

"야, 힘센 척 앞으로 하지 마. 쪽팔리게 이게 뭐냐?"

말의 내용과 상관없이 모든 단어가 톡톡 튀어 오르며 그저 웃음처럼 들렸다. 수현은 검은 나일론 보스턴백에서 이온 음료를 꺼냈다. 뚜껑을 반만 따서 병을 재인에게 건넸다. 재인은 상체를 일으키며 음료

수를 받아 들고 양반다리를 했다. 음료 한 모금이 이제 막 목을 타고 넘어가려는 찰나 수현은 까르르 웃으며 코트 밖 푸른 잔디로 뛰어갔다. 재인은 벌떡 일어나 수현의 뒤를 쫓았다. 잔디 위 돌 징검다리를 수현이 밟은 그대로 따라 밟았다. 길옆으로는 얇은 시냇물 줄기가 흘렀고 둘은 돌다리 밑을 지났다. 숨이 기분 좋게 차올랐다.

잠에서 깬 재인의 가슴팍이 축축했다. 식은땀이 티셔츠에 배어 있었다. 여름철 습기에 살짝 들뜬 자취방 벽지가 눈에 들어왔다. 현실의 하찮은 세부 사항이 눈에 들어오자 꿈이 옅어졌다. 비는 그친 듯했지만, 날은 여전히 흐린지 어둑어둑했다. 머리맡 휴대전화부터 집어 들었다. 01시 49분. 자지 않던 시간에 자니 꾸지 않던 꿈을 꿨나 보다.

"씨발." 재인은 일부러 또박또박 소리 내어 말했다. 나직하고 부드러운 목소리였다. 재인은 대화할 때 비속어를 쓰는 법이 없었다. 재인에게 욕이란 명상 같은 것이었다. 액운을 쫓는 주문 같기도 했다. 욕을 내뱉는 것은 홀로 있을 때 조용히 치르는 의식이었다. 재인은 그렇게 모로 누워 꿈을 몰아내는 의식을 치렀다.

여름은 수현의 계절이었다. 수현이 죽은 것은 겨울이지만 수현은 여름의 아이였다. 살아있는 모든 것이 일제히 생동하는 푸른 여름처럼 무서운 줄 모르고 뻗어나가던 사람이었다.

재인의 목구멍에서 뜨거운 덩어리가 부풀었다. 덩어리는 관자놀이까지 밀고 올라갔다. 재인은 미간에 겨우 그걸 가뒀다. 머리에서 욱신욱신 맥박이 느껴졌고 이명이 들렸다. 물속에 들어간 듯 다른 모든 소리는 잡아먹히고 먹먹한 신호음만이 들렸다. 약을 먹어야겠다는 생각이 들었다.

냉장실에는 별다를 게 없었다. 재료가 상하는 게 싫어서 먹을 만큼만 사다 놓다 보니 장 볼 때쯤 냉장실은 텅텅 비었다. 냉동실을 열었다. 손질해서 비닐봉지에 넣어 놓은 대파 뒤로 떡볶이와 만두가 보였다. 만두를 전자레인지에 돌려서 먹어야겠다고 생각하고 만두 봉지를 집었다. 몸을 반쯤 일으켰을 때 제일 위 칸 구석에 거의 가득 찬 음식물 쓰레기봉투가 보였다. 저것부터 버려야겠다. 재인은 뭐든 상시 쓰지 않는 게 보이면 즉시 처리했다. 재인이 가지고 있는 것 중 재인이 알지 못하는 것은 없었다. 잠옷 위에 푸른 여름용 카디건을 하나 걸쳤다. 한 손에는 손 소독제, 한 손에는 쓰레기봉투를 들고 현관문을 나섰다.

밖으로 나서니 습기가 온몸에 불쾌하게 감겼다. 음식물 쓰레기 수거함을 열기가 망설여졌다. 미룬다고 일이 사라지는 법은 없었다. 수거함을 열었다. 이미 쌓여 있는 봉투에 초파리 떼가 반점처럼 덕지덕지 붙어 있었다. 빠르게 자기 봉투를 던져 넣고 뚜껑을 닫았다. 손 소독제를 얼른 짜냈다. 방에 돌아와서 손을 씻고 만두를 전자레인지에 돌려서 먹고 약을 먹고 설거지를 할 때까지 초파리 떼의 모습이 떠나지 않았다.

재인은 침투하는 것들을 경멸했다. 공사 소음. 침 뱉는 소리. 담배 연기. 각종 세균과 바이러스. 쉬지 않고 몸에서 떨어지는 각질. 옷에서 떨어지는 보풀과 미세 플라스틱. 버스에서 전화에 대고 욕하는 사람. 예상치 못한 마감 기한 변경. 예정에 없던 회의. 원인 모를 우울감. 통제되지 않은 한숨. 습기. 생생한 꿈. 너저분한 이미지들이 불쑥 끼어들었다. 이명은 나름 정직했다. 이어폰 사용 시간이 늘거나 스트레스를 받을 때 심해졌다. 검사를 받았고 방금 약도 먹었다. 초파리 떼는 쓰레기봉투가 아니라 피부에 들러붙어 있기라도 한 듯 떨쳐지지 않았다. 재인은 손톱으로 그 반점들을 파내고 싶은 충동이 들었다.

수현의 대학 입시가 막 끝난 겨울이었다. 어느 날 수현은 열로 괴로워했다. 수현은 여기저기 쏘다니길 좋아하고 잘 까불었다. 추운 날씨에 잘 챙겨 입지도 않고 종일 밖으로 나다녀서 걸린 감기나 독감이지 싶었다. 새벽에 수현이 너무 힘들어해서 부모님은 수현을 데리고 응급실로 향했다.

"재인아, 언니 데리고 병원 갔다 올게."

잘그랑 차 키 집는 소리를 내며 현관에서 엄마가 소리쳤다.

"어, 운전 조심하고. 집단속은 내가 하니까 걱정하지 말고."

재인이 방에서 소리쳤다. 얼마간 시간이 지나고 부모님과 수현이 돌아왔다. 엘리베이터 소리를 들은 재인은 현관에 미리 나가 있었다. 도어락이 풀리는 소리가 나며 운전했을 아빠가 먼저 들어왔고 엄마가 수현을 다독이며 들어왔다.

"어째 좀 괜찮아요?"

재인은 누구에게랄 것 없이 물었다.

"음, 아무 이상 없고 해열제랑 진통제만 좀 사 왔어."

수현은 여전히 괴로워 보였다. 평소 수현은 화도 크게 내고 웃는 것도 크게 웃고 짜증도 티 나게 부렸기에 재인은 안도했다.

아침이 되고 점심이 되었다. 나물을 볶던 엄마가 식구들을 불렀다. 재인은 어쩜 부르는 대로 오는 법이 없냐고 인상을 찌푸리던 엄마를 기억하고 단번에 식탁으로 갔다. 재인이 수저를 식탁에 놓고 있을 때 아빠가 나와 식탁에 앉았다. 엄마가 나물 반찬을 차례로 식탁에 놓고 밥과 국을 식구들 자리에 하나씩 놓을 때까지 수현은 나오지 않았다. 엄마는 앞치마를 맨 채로 수현의 방으로 향했다. 아빠는 국을 한술 떠서 입에 넣었고 재인은 수현의 방에서 들리는 소리에 귀 기울였다.

"수현아, 괴로워?"

노크하고 들어간 엄마가 수현에게 묻는 소리가 났다. 재인은 반찬, 밥, 국을 순서대로 골고루 먹으며 엄마의 말에 집중했다. 엄마가 거실로 나왔다. 아무래도 안 되겠다는 엄마의 말에 아빠는 일어나 차로 향했고 엄마는 다시 차 키를 집었다. 이번에는 다녀오겠다는 말이 없었다. 그래서 재인이 먼저 말했다.

"조심해서 다녀와요. 걱정은 말고."

혼자 남겨진 재인은 식탁을 쳐다봤다. 덮어 놓을까, 넣어 놓을까. 식구들이 언제 돌아올지 모르니 결정하기 쉽지 않았다. 밥과 국은 따뜻해야 하고 쉽게 다시 풀 수 있으니 다시 부어 놓고 반찬은 덮어 놓고 길어지면 그때 냉장고에 넣기로 했다. 일에 순서가 잡혔다. 재인은 밥과 국을 도로 통에 부었다. 그러고도 시간이 한참 지났다. 재인이 반찬까지 냉장고에 넣고도 시간이 제법 흘렀을 때까지 식구들이 돌아오지 않았다. 증상이 심해져 예방 차원으로 추가적인 검사를 받고 있거나 하루 정도 입원을 하고 경과를 지켜보기로 한 게 아닐까. 그렇다면 지금은 정신이 없을 테고 나중에야 연락이 오겠구나. 재인은 병원에서 모든 절차가 끝날 때쯤 문자를 보내기로 했다. 그동안 설거지라도 해놓자고 마음먹었다. 그렇게 생각을 정리하고 싱크대로 향하던 순간 엄마에게 전화가 왔다.

전화를 받으니, 엄마가 아니라 아빠였다. 아빠는 재인이 병원에 와야 할 것 같다고 말했다. 예상치 못한 시나리오였다. 재인이 가야 할 이유는 아무래도 없었다.

"혼자 올 수 있나?"

전화 너머에서 아빠가 물었다.

묻는 게 아니라 그렇게 해야 한다는 말의 완곡한 표현이라는 게 느껴졌다.

"여기 ○○○ 병원이야."

재인이 답을 하기 전에 아빠가 말했다.

"알았어요. 병원에 도착해서 전화할게요. 걱정하지 말고."

대중교통을 탈지 잠시 고민했지만, 일찍 도착하는 게 좋을 것 같았다. 재인은 현금을 모아 놓길 잘했다고 생각하며 택시를 탔다.

수현이 보이지 않았다. 장례식장은 병실보다도 하얗고 청결했다. 이래도 되나 싶을 정도로 넓고 반짝였다. 푸르게 빛나는 모니터에 교복을 입은 수현의 증명사진이 떠 있었다. 할아버지가 돌아가셨을 때는 엄마가 재인을 이끌었다. 상복을 입히고 어디 앉아 있을지 알려 주었다. 이번에는 장례식장 직원이 재인에게 상복을 건넸다. 재인은 혼자 옷을 갈아입었다. 티셔츠와 얇은 반바지 위에 그대로 검은 저고리와 치마를 걸쳤다. 하얀 머리핀이 안 보였지만 장례식장에선 질문을 해서는 안 되는 법이다. 알아서 물 흐르듯 행동해야 한다. 이번에는 엄마, 아빠에게 슬쩍 물을 수도 없었다. 재인의 가족은 수현을 제외하고 모두 막내였다. 게다가 엄마는 여자였다. 그러니 재인의 친할아버지와 외할아버지가 돌아가셨을 때도 재인의 부모는 상주였던 적이 없었다.

재인은 딸을 잃은 부모에게 함부로 말을 걸 수 없었다. 방명록을 쓰고 부의금을 내고 향을 피우고 헌화를 하고 절을 하고 상주를 위로하는 건 조문객의 일이었다. 재인은 심각한 표정의 아빠와 우는 엄마 옆에서 다른 조문객들의 인사를 받았다. 모니터에 있던 것과 같은 수현의 사진이 꽃에 둘러싸여 있었다.

교복을 입은 수현의 친구들이 삼삼오오 모여 조문을 왔다. 더러 울고 있었다. 재인은 언니의 부고 문자를 받지 못했다. 죽은 수현은 없는데 수현이 죽었다는 신호만 가득했다. 재인은 언제 영정 사진 파일이 전달되고 프린트되었는지 궁금했다. 누가 그 사진을 골랐는지도 알고 싶었다. 재인은 장례식장 직원보다 수현의 운명, 입관, 발인, 장지에 대해 아는 것이 없었다. 수현의 친구들은 자꾸 재인을 대신해 울었다. 평소 왕래가 없던 친척들은 엄마, 아빠의 손을 잡고 어깨를 쓸었다. 재인은 누구 하나 잡고 눈을 보며 묻고 싶었다. "다들 왜 이러는 거예요?" 바로 옆에 서 있는 부모의 존재가 재인은 그럴 수 있는 위치에 있지 않다는 걸 상기시켰다.

수현이 수막구균성 수막염으로 죽었다는 걸 나중에 알아냈다.

수막구균성 수막염은 24시간 이내에 사망할 수도 있는 급성 질환이다. 집단생활을 하거나 젊은 층일 경우 고위험군이다. 초기 증상이 발열 등으로 감기와 비슷해 진단이 어렵고 진행 속도가 빨라 치료 시기를 놓치기 쉽다. 수막구균은 패혈증도 함께 일으킨다.

검색창의 이미지 탭을 누르자 온몸에 붉은 반점이 퍼진 사진이 나왔다. 결점 하나 없던 수현의 뽀얀 피부가 생각났다. 검색에 몰두한 재인은 검시관이라도 된 양 시체도 없이 부검에 열중한 기세였다. 하지만 홀로 자판을 두드리는 것에 불과했다. 수현의 입시가 끝나고 이제 재인이 본격적으로 수험생이 되었다. 재인이는 알아서 잘하니까. 저거 봐, 울지도 않는 거. 어련하겠어. 그래, 마음 다잡고 다시 공부해야지. 본인이라도 부모 걱정하지 않게 잘해야지. 어차피 밖에 돌아다니는 거 안 좋아했잖아. 잘할 거야. 어디까지가 남이 한 소리이고 어디까지가 본인이 한 소리인지 구분이 되지 않았다.

한창 초파리 떼의 모습을 머릿속에서 몰아내고 있는데 엄마에게서 전화가 왔다.

"재인아, 엄마."

"예."

전화를 받은 재인의 귀에 다시 이명이 울렸다.

"재인이 밥은 먹었니?"

'재인이' 소리에 자칫 마음이 약해질 뻔했다.

"예, 전 먹었어요."

여기서 그만둘지 재다가 마음을 고쳐먹었다.

"엄마는 뭐 챙겨 드셨어요?"

"음. 엄마는 입맛이 없어서."

인사치레로 하는 말에 정직하게 답하는 엄마였다.

"그래도 드셔야지. 기운 빠질라."

자식 된 도리를 하기 위해 대꾸했다.

　재인은 대학을 졸업하고 돈을 벌기 시작한 뒤로 본가에 가지 않았다. 수현의 장례식 이후 재인은 아빠의 얼굴을 쳐다보는 게 어려웠고 엄마의 우는 모습을 견디기 힘들었다. 청명한 여름은 원래 수현의 계절이었고 겨울은 수현이 죽은 계절이 되었다. 봄과 가을은 그저 여름과 겨울로 가기 위해 통과하는 계절이었다. 재인은 견디기 힘든 것이 수험 생활인지 부모님인지 집안의 분위기인지 구분이 되지 않았다. 재인은 마음 같아서는 부모님을 부둥켜안고 다 함께 울고 싶었다. 그렇게 자신이 이 슬픔과 가족의 일부임을 확인받고 싶었다. 하지만 아빠는 결코 재인 앞에서 울지 않았고 엄마는 재인 앞에서만 우는 것 같았다. 엄마는 가만히 요리하고 있다가도 재인이 부르며 다가가기만 하면 버튼이라도 눌린 듯 바로 울기 시작했다. 그런 순간에 재인은 엄마의 어깨에 손을 올리며 엄마를 다독이기도 했다. 그러나 엄마는 돌아서서 재인을 쳐다보지 않았다. 재인은 자신이 슬픈 것인지 서러운 것인지 화가 나는 것인지 몰랐다. 슬프거나 서럽거나 화가 난다면 무엇 때문에 그런 것인지도 알 수 없었다. 어떤 감정이든 터뜨리면 후련할 것 같았지만 언니를 잃은 동생이 자식을 잃은 부모와 경쟁할 수는 없었다. 재인은 굳게 닫힌 입을 다시 한 번 꽉 깨물었다.

"그래. 근데 재인아. 엄마 아빠가 이사하려고 하거든. 이제 엄마 아빠 나이도 있으니까 주택이 낫지 않을까 싶어서."

본론이 나왔다.

"아, 그래요."

그래서 나보고 어쩌라고요. 재인의 인내심이 바닥났다.

"어. 그래서 짐 정리를 하는데. 그 언니 방 있잖아, 수현이⋯⋯."

엄마는 수현의 이름이 나오는 순간 또 울음을 터뜨렸다. 참 한결같았다.

"엄마가 방 정리를 못 하겠어서."

끝까지 스스로 말하게 할까, 이쯤에서 내가 나서 줄까. 재인은 잠시 고민했다.

"어차피 제 짐 정리도 해야 하니까 조만간 갈게요, 제가."

"그래, 엄마가 재인이 짐 잘 보관하고 있지. 안 상하게."

기다렸다는 듯 엄마가 대답했다.

"예. 곧 갈 테니 걱정하지 마시고. 급하면 전화하시고."

재인은 전화를 끊었다.

엄마는 분명 좋은 부모였다. 재인이 초등학교 때 수학 시험지 뒷면을 모르고 안 풀었을 때도 뭐라고 하지 않았다. 재인이 위장병이 났을 때 매일 소화가 잘되는 요리를 해 주고 그 많은 설거지를 했다. 그럴수록 살갑지 못하고 조용한 자신이 부족해 보였다. 수현은 엄마와 쇼핑을 가고 농담을 주고받고 싸우기도 하는 영락없는 딸이었다. 재인은 엄마와 쇼핑을 가도 필요 없다는 대꾸밖에 하지 못했고 싸울 수 있을 만큼 친해지지 못했다.

재인은 엄마와 대화하고 싶었지만, 엄마는 그럴 수 있는 사람이 아니었다. 재인은 엄마가 자신을 위해 갖은 반찬을 해서 상을 차리고 설거지를 하는 대신 자신과 눈을 맞추어 주기를 바랐다. 괜찮다면 어깨에 손을 얹거나 자신을 향해 미소 짓기를. 언젠가 이런 생각을 전달했을 때 엄마는 허공을 바라보며 표정이 어두워졌다. 재인의 사고방식과 감정은 엄마를 불편하게 했다. 차분하고 조리 있게 전달하려 했으나 태도나 논리의 문제가 아니었다. 스스럼없는 엄마는 누구에게도 빚진 것이 없었다. 지나치게 조심스러운 재인은 항상 부끄러웠다. 그 차이가 만든 거리는 좁혀지지 않았다.

재인은 바로 다음 날 본가로 향했다. 원래 일요일은 꼼짝도 하기 싫은 날이지만 할 일을 남겨두는 것만큼 찝찝한 것은 없었다. 버스를 타고 다리를 건널 때 하수구 냄새가 풍겼다.

간다는 연락 없이 본가에 도착했다. 어제 통화가 끝난 후 엄마가 보낸 문자를 열어 봤다. 달랑 적혀 있는 여섯 자리 비밀번호를 누르고 집 안으로 들어갔다. 학창 시절 익숙했던 집 냄새가 훅 끼쳤다. 재인의 자취방과는 달리 복잡한 냄새였다. 재인의 자취방은 단일한 냄새를 풍겼다. 깔끔하고 개성 없는 공간이었다. 재인은 잠시 신발장에 서서 기다렸다. 아무도 없는 듯했다. 거실로 가니 포장된 상자가 제법 많이 보였다. 이사 전까지 사용해야 하는 세간만 빼두고 어느 정도 짐을 싼 것 같았다. 빨간 유성 매직으로 '재인'이라고 적힌 상자가 하나 있었다. 미신 따위 믿지 않는 재인이었지만 그 색깔에서 어떤 의도가 느껴졌다. 하지만 그런 게 있을 리 없었다. 본가에서 나올 때 꼭 필요한 건 이미 챙겼기에 바로 수현의 방으로 향했다.

사생활을 침해하는 느낌이 들어서 조심스러웠다. 학창 시절에도 언니 방에 들어가지 않았다. 문밖에서 짧게 대화를 나누거나 밥 먹으러 나오라고 부르는 정도였다. 내내 같은 방을 써 오다가 각자의 공간이 생겼을 때 둘은 문지방을 국경선처럼 다뤘다. 서로의 자주권을 존중하는 암묵적인 방식이었다. 성인이 된 재인은 수현이 따지면 바로 문을 닫을 수 있게 방문 손잡이를 살짝 쥐고 조심스럽게 내렸다. 문을 빼꼼히 열고 항의하는 기미가 없을 때 비로소 살금살금 들어갔다.

누군가 들락날락하고 청소도 한 모양새였다. 생활감은 없지만 깔끔했고 공기가 탁하지 않았다. 날씨 탓인지 온기가 돌았다. 무엇을 어떻게 정리할지 막막했다. 막막한 것은 모두 재인의 일이었다. 옷가지와 침구는 매일 살을 대던 것이니 정리가 더 힘들 것 같아서 먼저 책상으로 향했다. 참고서와 자습서가 대부분이었다. 그다음으로 연습장이 많았고 당시 유행했던 심리학책과 자기계발서 몇 권이 있었다. 간간이 문학책도 보였다. 그 사이에 크기가 작은 다이어리 하나가 있었다. 언제 유행했는지 기억도 나지 않는 자물쇠가 달린 다이어리였다. 자세히 보니 자물쇠가 풀려 있었다. 재인은 얼굴을 찡그렸다. 엄마가 풀었을 거란 생각이 들었기 때문이다.

　엄마는 아빠든 수현이든 재인이든 '그게 아니고'라는 식의 말을 하면 다 자기 탓으로 돌리거나 다 상대방의 탓으로 돌렸다. 서로 피곤해서, 소통 방식이 달라서, 각자 기억하는 바가 달라서, 그런 가능성은 모두 배제되었다. 재인은 상대방을 이상한 사람으로 만들거나 자신이 이상한 사람이 되지 않고도 대화할 수 있기를 바랐다. 법정 싸움도 아닌데 귀책 사유가 어느 쪽에도 있지 않기를 바랐다. 그런데 가족과의 대화는 한쪽이 잘못되어야 끝이 났다. 가족 바깥에서의 대화는 드물었을 뿐 아니라 오직 침묵을 피하기 위한 발성에 그쳤다. 그럴수록 재인은 무엇이든 귀담아들으며 그 속에 이 난관을 극복할 열쇠가 들어 있기를 바랐다. 제발 상대방을 이해하고 내가 이해받을 수 있기를. 번번이 패배감을 맛봤다.

　재인은 문학을 전공했다. 작가와 작품을 결코 동일시할 수 없다는 것을 알았다. 작품이 어떤 메시지를 전하기 위해 특정 매체를 활용한 것으로 생각하지도 않았다. 세기의 걸작이라 할지라도 이야기는 어디까지나 허구다. 하지만 누군가 시간을 들여 기어코 만든 유형의 것이었고 거기에는 시각이 있었다. 논픽션이나 르포르타주도 시각에서 자유로울 수는 없었다. 재인은 이야기라면 무엇이든 작가의 그 시간과 시선이 고마웠다. 그러나 자신이 일방적으로 오해하지는 않았는지, 자신도 모르게 왜곡시킨 것은 아닌지 금세 불안해졌다.

　엄마가 수현의 일기를 멋대로 읽고 멋대로 해석하지는 않았을지 의심스러웠다. 일기는 독자를 위해 세상에 내놓은 글도 아닌데 또 자기 탓으로 돌리지는 않았을지 걱정됐다. 엄마에게 미안한 마음이 컸다. 결혼하지 않고 수현도 자신도 낳지 않았다면 이런 식으로 자아를 의탁할 일도 없었을 테니 말이다. 재인은 자신이 어쩔 수 없던 일에 공범이 되어 죄책감이 드는 동시에 억울했다. 엄마가 자물쇠를 풀었다는 생각을 한 스스로가 미웠고 그런 생각을 하게 이 세상에 내놓은 부모가 미웠다.

엄마에 대해 단단히 오해하고 있다고 느낀 적이 더러 있었다. 그렇다 한들 대화조차 할 수 없는 사람을 어떻게 제대로 바라봐야 할지 몰랐다. 인터넷에서 부모로부터 정서적 독립을 해야 한다고 말하는 의사와 상담가들의 영상을 수없이 봤다. 결국 또 스스로 시간과 노력을 들여 해결해야 할 문제였다. 차라리 자신의 자아를 죽여 버리는 게 빠를 것 같았다. 어차피 자신은 개성이 없고 프리즘처럼 유의미하게 굴절시키거나 분산시키지 못했다. 안에서 끊임없이 뒤틀리고 왜곡되기만 했다.

재인은 수현의 침대 가장자리에 걸터앉았다. 땅바닥이 울렁거리는 것 같았다. 냉방을 하지 않은 방의 열기와 습기에 숨이 턱턱 막혔다. 유리 돔 안에 갇힌 듯 귀가 먹먹했고 잠시 뒤 높은 옥타브의 이명이 귓속에 울렸다. 재인은 수현의 이불자락을 쥐어짜듯 움켜쥐었다.

"그게 그렇게 심각한 게 아니야."

수현이 재인에게 말했다.

둘이 아직 같은 방을 쓸 때였다. 어쩌다 연애 얘기가 나왔는지는 모르겠다. 그 시절만 해도 학생이 연애하면 선생님이나 다른 어른들에게 '날라리' 취급을 받았다. 수현은 날라리가 아니었다. 사교성이 좋고 두루두루 하는 것이 많기도 했지만 학업 성적이 꽤 좋았다. 꼼꼼하지는 않아도 마음먹고 하면 뭐든 해냈다. 수현은 연애를 꾸준히 했다. 연애 문제로 엄마와 싸우고 혼자 울고불고하기도 했다. 수현은 이어서 말했다.

"그냥 '흠, 너 내 옆에 앉을래?' 하는 거야. 옆자리 짝꿍 같은 거지."

수현은 웃음을 머금고 새침하게 말하는 시늉을 해 보였다. 수현에게는 무엇이든 밝고 가볍게 만드는 재능이 있었다. 시작도 전에 굴을 파고 들어가 끝장을 보는 재인과 달랐다. 재인의 여름은 녹아 달라붙는 엿을 억지로 좁고 긴 파이프에 쑤셔 넣듯 더디게 지났다. 수현의 여름은 새하얀 셔틀콕처럼 가볍고 속도감 있게 날아올랐다.

"모르는 건 누구나 똑같아. 그냥 너처럼 신경 쓰지 않을 뿐이야."

수현이 자기 매트리스 가장자리로 데구루루 굴러와 검지로 재인의 이마를 톡 치고 다시 데구루루 굴러갔다.

"뭐 하는 거야, 진짜."

웃음을 참는 재인의 미소가 비뚤어졌다.

한껏 구겨진 재인의 미간에 수현의 검지가 느껴졌다. 이명이 흐려지고 미간 주름이 스르륵 펴졌다. 재인을 덮고 있던 유리 돔이 서서히 벗겨졌다. 재인은 자신이 긴장하고 있었다는 걸 깨달았다. 어금니를 꽉 깨물고 있었고 손가락 마디가 하얘질 정도로 이불자락을 쥐고 있었다. 수현은 가끔 재인의 머리를 헝클어뜨리거나 어깨를 '탁' 치고 도망갔다. 그럴 때마다 재인은 셔틀콕처럼 떠올라 수현에게 날아갔다. 조용하고 차분한 재인을 그런 식으로 건드리는 건 수현이 유일했다. 재인에게는 재인을 건드려 줄 사람이 필요했다. 살갗이 닿는 거리의 사람이 필요했다.

재인은 다시 책상으로 다가갔다. 자물쇠가 풀린 다이어리를 집어 들었다. 허락 없이 열고 싶지 않았고 결코 허락받을 수 없었다. 하얀 표지 중간에 투명 테이프로 붙인 네잎클로버가 있었다. 잘 보관한 것인지 많이 쓰지 않은 것인지 표지가 깨끗했다. 재인은 다이어리에 이마를 갖다 댔다. 다이어리가 이마를 '톡' 쳤다. 재인은 여름이 바뀌기를 기다렸다. 습기와 열기로 부패하는 음식물 쓰레기에 초파리가 달려드는 계절을 가벼운 차림으로 배드민턴하는 계절로. 원인도 알 수 없는 이명이 침투하는 계절을 '모르는 건 누구나 똑같'은 계절로.

엄마는 울고 있는 큰아이를 달랬다. 그러고는 부엌으로 향했다. 작은아이 친구의 이름이 적힌 큼지막한 밀폐용기를 냉장고에서 꺼냈다. 담겨 있던 수박 조각을 과도로 더 잘게 잘라 작은 밥공기 두 개에 나눠 담았다. 조그만 포크를 하나씩 꽂아서 다시 거실로 향했다. 큰아이와 작은아이에게 각자 그릇을 쥐여 주었다. 엄마는 거실 바닥에 고개를 숙이고 앉아 있는 작은아이의 양 볼을 쓸었다.

"엄마가 재인이 미워서 그런 거 아닌 거 알지?"

엄마는 망가져 완전히 닫히지 않는 플라스틱 케이스에서 비디오테이프를 꺼내 플레이어에 넣었다. 위아래로 꽉 끼는 초록 옷을 입고 빨간 깃이 달린 고깔모자를 쓴 소년이 나왔다. 수박도 비디오도 좋았지만, 망가진 케이스를 보는 작은아이는 벌을 받는 기분이었다. 엄마는 수박 껍질 때문에 음식물 쓰레기가 많이 나온다고 싫어했다.

큰아이가 작은아이 옆으로 다가왔다. 수박 두 조각을 자기 그릇에서 작은아이의 그릇으로 옮겼다. 큰 조각을 고르느라 혀를 빼물고 집중했다. 작은아이는 아직도 고개를 들지 않았다. 수박에 박힌 검은 씨만 쳐다봤다. 그때 작은아이의 시야에 큰아이의 검지가 불쑥 들어왔다. 큰아이의 손끝이 작은아이의 허벅지를 톡톡 쳤다. 작은아이가 고개를 들었다. 큰아이가 우스꽝스럽게 웃고 있었다. 웃지 않으려는 바람에 작은아이의 얼굴이 괴상하게 일그러졌다.

목각 기러기

제이엘

제이엘　주부로 20년 살다 보니 어느새 이름도 없어지고 내 삶에 주인공은 내가 아닌 주변인으로 살아가고 있더라구요. 공상하기를 좋아했던 나를 더 늦기전에 찾아내어 새로운 것에 도전 해보고 싶었습니다. 새로운 시작은 설레임과 두려움을 다 가지고 있지만 즐길수 있는 인생은 아름다운 것 같습니다.

프롤로그

결혼식 날 주례사로부터 흔히 듣는 말 "검은 머리가 파뿌리 될 때까지 변치 말고 잘 살아라" 축언 아닌 축언에 속아 맹세를 다짐한다.

꼭 그렇게 살아 질 것 만 같지만 남남이 부부로 맺어져 변함없는 마음으로 끝까지 살아 낸다는 것이 그리 녹록지만은 않다. 혹 어떠한 확고한 신념이 밑바탕이 되어 그들을 붙잡아 준다 한들 미약한 인간들로 태어난 이상 그저 나약한 인간 일뿐이다.

지면이나 미디어를 통해 들여오는 숱한 이혼과 배신으로 인한 살인 사건까지

사랑으로 시작해 믿음과 신의로 살아지고 연민으로 버텨내어지는 중년 부부의 삶.

단단하고 견고한 부부라 할지라도 작은 외부의 자극에도 쉽사리 무너지고 위태로워 질 수 있음을 그로 인해 고통 받고 상처 받은 마음을 내면적 살인으로 풀어 반전을 이야기 한다. 타의든 자의 에서든 자기 반성과 자기 성찰이 끊임없이 이루어져야 함을 그래야 그 흔히 말하

는 검은 머리가 파뿌리 될 때까지 함께 할 수 있는 일만의 희망이라도 꿈꿔보지 않을까 싶다.

　# 하루 (붉은 해)

　# 산행

　# 함수적 종속 관계

　# 오해와 진실의 뫼 (내면 살인)

　# 밤과 같은 낮잠

　# 봄날 같은 가을날의 이별

하루 (붉은 해)

　새벽녘이 다되어서야 잠깐 잠이 들었다 깨었다.　쪽 잠으로 인해 온 몸이 쑤시고 아파왔다. 몇 달째 이러고 있는지... 각방을 쓰기 시작한 이후로 알파룸에서의 생활은 몸을 고단하게는 했지만 마음만은 편안 했다.　온전히 나만의 공간이라 여겨지니 작고 협소 했지만 아늑함마저 느낄 수 있어.　충분히 불편함을 감수할 수 있었다.

　초침은 10시 30분을 지나고 있다.　길게 한숨을 한번 내쉰뒤 일어나 방문을 열고 안방으로 향했다.　시야에 들어온 건 빼꼼히 열려 있는 문 흠..　그럼 그렇지...역시 예상을 빗나가지 않네. 마음 한편에선 다 갈래의 마음이 또 다시 충돌을 일으키며 나의 뇌를 갉아 대기 시작했다. 다시 알파룸 으로 돌아온 나는 춥지는 않았지만 한기가 느껴져 다시 이불속을 파고 들었다. 목까지 이불을 끌어 당기곤 두 손만을 내민 채 휴대폰을 켜 그의 위치를 확인 했다. 네트워크만 켜져 있다면 그의 위치는 단박에 찾아낼 수 있었다.. 잦은 술자리와 늦은 귀가로 인해 안전장치를 해둔다고 오래전 그이 몰래 깔아둔 위치 정보 프로그램이 이리 쓰일 거라곤 상상도 하지 못했다. 그의 위치가 떴을 땐 이미 서울 출발지를 떠나 강원도를 향해 가고 있었다. 가슴에 커다란 구멍이라도 생긴 듯 가슴이 시려왔다.. 눈을 감고 나를 달래려 괜찮다를 30번 반복했을 때쯤 감은 눈에선 땜이 무너지듯 밀리고 밀려나 귓 볼을 가득 채웠다.

 같은 회사에서 만난 그와 나. 1년이란 시간이 지났어도 제대로 된 말 한마디 건네 본적 없이 서로에게 전혀 관심이 없었다. 어떤 계기에서였는지 같은 차를 타고 어딘가를 가야만 했던 것 같다. 그 일이 여러 번 반복 되며 차츰 말을 트게 되었고 그는 어느 날 부터인지 나에게 호감을 표현하기 시작 했고 욕심히 많았던 나는 내 이상형과는 거리가 멀어 그저 착하게만 보이는 그에게 정중히 거절을 표현하는 날이 많아져만 갔다. 어떤 이유로 회사를 그만둔 나는 곧 그에게도 나에게서도 잊힌 줄 알았었다.
 어느 날 퇴근하여 집에 돌아오는 길모퉁이 컴컴함 뒤에서 누군가 발소리를 내며 저벅저벅 다가오고 있었다. 어둠속에서 나타난 그의 등장에 적잖이 놀란 나는 당황하여 말을 제대로 잊지 못하고 "어... 어쩐... 일이세요.. ?"

그는 수줍은 듯 애꿎은 땅바닥만을 발로 긁으며 쪽지 한 장을 내게 내밀어 보였다. 반으로 접힌 쪽지를 받아 펼쳐보니 휴대폰 번호가 또박또박 적혀 있었고 쪽지를 확인한 모습을 본 그는 전화를 달라며 이내 달아나 버렸다. 전화는 하지 않았지만 그 이후로도 이런 일은 반복 되었고 나의 거절도 반복 되어져만 갔다. 무려 4년이란 시간을 그는 짝사랑이라는 틀 안에 가두어 두고 춘향이도 아닌 것이 춘향이라도 된 듯 일편단심을 꿈꾸며 하루하루를 기다리고 있었다. 추후에 들은 얘기 있지만 3대 독자였던 그는 누나들과 부모들의 성화에 선 자리를 마련해 줘도 매번 기다리는 사람이 있다며 퇴짜를 놓았다는 얘기를 듣곤 했었다. 당장이라도 결혼을 하여 득남이라도 해야 했던 처지에 그의 행동은 가족들에겐 이해할 수 없는 일이었으며 묘령의 여자가 누구일지 궁금증을 자아내게 하는 일이었을 것이다. 그 덕이었는지 그이의 재량으로 혹독할 법한 시집살이는 철저히 차단되었고 시부모의 미움을 사는 내내 받았던 것 같다. 누나들 속에 늦둥이 막내아들로 태어나 귀하다 귀하다로 떠받침을 받고 자랐을 거라곤 상상도 해보지 못했었다.

그의 지치지 않는 구해 덕분인지.. 나의 까다로움이였는지.. 나이가 차도 딱히 만남이 없던 나에겐 차선의 선택도 없이 딱히 싫지만 않다면 이란 마음으로 그와의 결혼을 한달만에 강행했고 새로운 인생의 2막을 시작했더랬다..

그와의 결혼 생활은 그다지 나쁘지 않았다. 자상함으로 무장된 그는 내가 사랑하지 않아도 늘 나를 귀히 여겨주고 사랑해 주고 이뻐해 주었다. 그로인해 자연스럽게 갑을 관계가 형성 되었고 믿을 수 없을 만큼 30년 결혼 생활 내내 그의 이런 마음가짐과 행동은 변함이 없었다. 나이를 먹어도 손잡는 게 익숙하였고 아침저녁 인사로 하는 입맞춤은 익숙함을 지나 습관처럼 되어 있었다. 나는 비록 사랑으로 시작하지 못했지만 좋은 가정을 갖고 싶어졌고 새롭게 태어날 우리들의 아이들을 위해서도 사랑으로 일관된 남편을 위해서도 내 온몸을 불태우리라 마음 먹었다.

성실함 이란 두 글자를 아로새긴 남편의 덕분이었는지 내조의 온 힘을 다한 덕이었는지 새롭게 시작한 남편의 사업은 해를 갈수록 승승장구해 나갔다.

우리의 미래를 닮은 아이들도 태어나 잘 자라주고 있었고 비록 독박육아에 지루하리만치 반복되는 일상은 날 우울하게도 만들었지만, 이 모든 게 훗날 잘 그려진 청사진이 되어 우리의 안방 벽면에 자랑스러운 훈장처럼 떡하니 걸려 있을 거라는 위안을 안고 살아 내어갔다.

그런 흠집 없이 살아 낸 인생이라 자부했건만.. 나의 희생도 그의 희생도 값진 다이아몬드가 되어 마음속 저 밑바닥까지 철벽 방어벽을 형성 해주었고 우리의 가정은 안정되고 견고해 보였다. 그런 그에게 동호회라는 새로운 자극이 침입하기 전까진 말이다. 견고했던 철벽 방어에 금이 가기 시작했고, 나의 내면적 불안함은 그때부터 시작되었던 것 같다.

산행

　관광버스 안에선 흥겨운 트로트가 흘러나오고　스물다섯 명쯤 되는 이들은 각자 앉은 짝들과 달달한 간식들을 우물거리며 연신 떠들며 웃느라 여념이 없었다.　모자른 잠을 자는 이에 짝은 심심한 듯 뒷사람과의 수다에 합류하여 앉지도 서지도 않은 자세로 즐 곧 쉬지 않고 떠들어대고 있었다.　앞만 보며 자기 사업에만 몰두했던 남편은 재테크 모임에선 나름대로 성공한 케이스였다.　가정과 회사만을 오갔던 30년의 세월은 헛되지 않고 확실한 보상을 해주었기 때문이다.　해서 고생이 많았던 그에게 은퇴하여 쉬기를 권장 했고 그 동안 밀린 숙제처럼 해보지 못했던 그와의 여행이나 함께하지 못해 늘 아쉬웠던 취미생활 들로 소소한 즐거움 찾기를 원했다.　절실함이 커서였는지 쉬는 3년 내내 내 생각과는 달리 남편은 많은 날들을 무료해 하며 나와 함께하는 걸 버거워하고 불편해 했다.　생각밖의 그의 말과 행동에 서운한 날이 켜켜이 쌓여만 갔다.　그럴수록 우리의 삐걱거림은 심해져 묵언수행과 투명 인간이 되어 가는 날이 많아졌다.　서로의 원망과 미움이 커져 갈때쯤 남편은 정기 모임을 나가기 시작했고 죽어있던 사람이 살아나듯 생기를 되찾기 시작 했다.

　간혹 모임에 관해 물으면 별생각 없이 얘기해주고 별 생각 없이 들었던 것 같다.

　첫 동호회 모임에서 우연히 짝이 되어 앉게 된 그 둘은 둘 다 그날이 첫날이었고 재테크의 초보자임을 알게 되었다고 한다.　강의가 끝난 후 각자의 집으로 돌아가야 하지만 할 말들이 많았던 그들은 삼삼오오 모여 식사와 차를 마시러 가곤 했는데 가방을 챙기던 그를 먼저 이끌어준 건 그녀였다고 했다. 어디에도 끼기 어색했던 그는 그게 고마웠다고 했다.

시간이 지날수록 주고받는 문자는 날로 쌓여만 갔고 그들과의 모임도 늘어만 갔다.

그럴수록 나와의 시간은 점점 더 소원해져만 가고 소통 불가에 이르기까지는 그리 많은 시간이 소요되지는 않은 듯싶어 귀가 막혔다. 30년 세월이 몇 개월에 무너지다니..

남편은 참 예의 바른 사람 이다. 좀 처럼 선을 넘는 법이 없는 사람이기도 하다. 자기 규칙과 철칙이 확실한 그런 그가 누군가를 담아 낸다는 건 자기가 살아온 인생 자체를 부정하는 행위에 해당하여 있을 수 없는 일이었을 텐데 말이다.

남편보다 한참은 어려 보였던 그 여자는 활달하고 착해 보였으며 부자로 성공하고 싶다던 그 여자는 사람 사귀는데 매우 적극적이었다고 한다.

그런 활달함이 좋아 보였는지 동생 없이 막내로 자란 남편은 그녀에게 여동생 삼고 싶다는 말을 서슴없이 하고 말았다고 했다.

남편의 문자를 보아도 그녀는 항상 먼저 연락을 해왔고 남편은 예의를 갖추어 정확한 답만을 보내곤 했었는데 시간이 흘러 편해진 탓인지 마지막으로 본 문자 에선 남편의 안 하던 짓을 발견하고 말았다. 남편은 친함을 지나쳐 연인에게만 할 법한 문장의 문자를 보낸 것이다. 내 두 눈을 의심했지만, 별 의미 없이 예의상 보낸 거라는 나만의 해석으로 치부해 버렸다.

어느날은 친목 도모를 위한 취지라며 산행이 정해졌다. 나에겐 여행 가자는 말조차 없었던 남편은 소풍날을 기다리듯 산행 소식에 마냥 신나 있었다. 그 모습을 지켜봐야 하는 나는 참 쓸쓸했던 것 같다. 첫 시작을 알리듯 내 머리에 종소리가 울려 퍼졌다. 몇일이 지나 그렇게 산행에 동참한 남편에게 배신감을 넘어 죽이고 싶을 만큼 분노가 끓어올랐지만 대수롭지 않은 문장 같기도 하다 생각했다. 그러나 확실한 건 남편은 좀 달라져 있었다. 섭섭함이 커질수록 생각은 더해지고 더해져 상상인지 망상인지 모를 생각에 잠겨 하루하루를 허비하는 날이 많아졌고 그런 나를 보며 남편은 자기만의 생각에 빠져 있는 것 같다는 말을 자주 하곤 했다.

금도끼 가진 나무꾼님 (금도끼님)

신데렐라 신발은 내꺼 님 (신델신발님)

터져 터져 복 터져 님 (복터져님)

혼자 앉아 있는 남편을 본 신델신발님은 반가운 듯 웃으며

"금도끼님 혼자 앉으셨네요. 같이 앉을 사람 없어요?"

남편이 멋쩍게 웃으며 대답했다.

"네…. 아직은… 없으면 혼자 앉아서 가죠 뭐.."

그녀는 여행에 시작이 즐거운 듯 한가득 웃음을 머금은 채 말했다.

"저도 짝 못 찾으면 와서 앉아도 되죠?"

"아.. 네.. 그럼요.. 전 좋죠.. 말동무 생겨서.."

그는 사람 좋은 웃음을 지어 보이고 있었다. 버스 안으로 밀려 들어오던 사람들은 약속이라도 한 듯 각자의 짝들을 찾아 자리 잡고 앉았다. 얼마전 신입으로 들어온 아들뻘 되어 보이는 사내는 주위를 살피다 혼자 앉아 있는 남편의 옆자리로 간단한 목례를 하고 앉았다. 어색한 침묵이 흐르자 남편이 먼저 말을 건넸다.

"얼마 전 까페에 올린 자료 잘봤어요.. 내용이 좋턴데요."

"하하하 그러셨어요. 직장 다니며 할려니 힘에 부치네요."

"이렇게 나이 먹은 나는 어찌 하라구요. 하하하"

어색한 웃음이 흐르고 할 말을 찾아 얼굴을 쳐다보았지만 딱히 할 말이 없어 괜스레 휴대폰만을 만지작거리다 이어폰을 꽂고 이내 좋아하는 음악을 틀었다, 마음이 편치 않은 탓인지 음악 소리도 잠도 오지 않았다. 자고 있는 아내를 두고 나오는 기분은 썩 좋지 못했다. 함께 여행도 가고 모든 걸 함께 하고 싶었지만, 생각과는 달리 사소한 일에도 다툼이 생겨났고, 함께 하면 할수록 아내와의 시간 들이 힘겹게 느껴져만 갔다. 삶에 지친 아내는 나이가 들수록 전에 없던 짜증과 화내는 날이 많아져만 갔고 잦은 싸움에 서로 회피하는 날들이 많아져만 갔다. 그럴수록 이해하기보단 묵인하는 게 더 편했던 것 같다. 머릿속에 꽉 찬 생각들을 치어버리기라도 하듯 누군가 어깨를 툭툭 치며 말을 건네 었다.

귀에 꽂은 이어폰을 빼자. 사내는

"휴게실 들렀다 간다네요. 화장실 안 가세요.?"

"아... 그래요. 가야죠."

화장실을 거쳐 담배를 한 대 피우고 나니 기분 전환이 좀 되는 듯했다. 휴게실 바깥쪽에선 눈에 익은 회원들이 간식을 사 들고 모여 먹는 모습이 보였다. 남편을 발견한 몇몇 회원들은 손짓으로 불러세워 커피를 권했다. 커피를 받아 든 남편은 자연스레 만담의 장이 열린 여성 회원들의 틈에 끼어 우스갯소리를 들어야만 했다. 말 좋아하는 복 터져 님의 개그에 다들 목청 높여 웃고 떠있었지만,, 남편 만큼은 억지웃음을 짓고 있었다.

옆에 서 있던 신뗄신발님은 남편의 어깨를 툭툭 치며 숨이 넘어갈 듯 웃고 있었고 그런 그녀의 행동에 남편은 흠칫 놀라 한 발짝 물러서고 말았다.

무료하고 힘들었던 날들에 자주는 아니더라도 가끔 이야기할 수 있어 숨통이 트였었다. 버스에 먼저 올라탄 남편은 혼자 앉아 갈 마음에 가방을 옆 자석에 내려놓았다.

함수적 종속 관계

사랑의 함수 두 집합의 대응 관계 너는 엑스로 나는 와이로 만나 너에 대해 나의 값이 정해지면 오직 하나로만 정해지는 관계 우린 잘 적응해 나가고 있었을까 살면서 함수였던 적이 몇 번이나 있었을까. 너의 답이 없으면 나의 답을 찾을 수 없듯이 너의 대응 없인 나의 대응도 존재 하지 않는다는 걸

어떠한 말도 하지 않으려 하는 그의 무시는 도를 지나치고 있었다.

흔들리는 눈빛 어색한 표정 그의 눈빛을 본 나는 아무렇지 않은 척 아프지 않은 척... 가슴이 녹아들고 있었다.

그의 눈엔 보이지 않았다. 나의 눈에 보였던 그 무엇도 나에게 보이지 않았던 그 무엇을 그는 보고 있었다. 우리의 보임이 다름을 인정했어야 했다.

보이는 자의 방향을 보지 못했다. 방향을 잃은 그와 나는 갈 곳을 이제 찾지 못하는 걸까.

길 잃은 길고양이가 된 기분이다.

지구상에 있는 나는 외로웠다. 그 안에 있는 나도 외롭기는 마찬가지였었다.

안방과 거실 벽 하나 사이에 등을 돌리고 있던 그와 나는 지구상에서 가장 먼 곳에 있었고 그렇게 우리는 우주 고아가 되어 있었다.

일련의 모든 이런 일들이 익숙지 않았다.

온통 나였던 그 자리에 내가 그에게 낸 구멍으로 바람이 들어차다니.

시린 바람이 들어찰 때쯤 따뜻한 바람도 분다는 걸 미처 깨닫지 못했었다.

그가 내게 준 믿음으로 인해 나의 오만함을 부추겼고 방관 하게 만들었던 것 같다.

그 대가는 실로 매서운 바람 이였다.

사람에게 받은 상처는 오로지 사람으로 치유될 수밖에 없다는 규칙

과도 같은 법칙은 마법 같이 강력했다. 돌아 오기 힘듦을 눈치챘을 땐 나의 비참함은 나를 비난하고 있었다.

모든 걸 내 탓으로 돌리고 싶을 만큼 나에게 최선을 다해 가학을 가했다. 지하가 어딘지도 모르는 나락으로 날개가 꺾인 채 연착륙 없는 추락을 하고 있었다.

추억엔 설레임의 힘이 부족하고 새로운것에 설레임을 이기기엔 힘든 이미 정해진 답이었다. 상대방을 믿기에는 나의 인내심이 바닥을 드러냈다. 그저 감상에 젖어 추억 팔이 만 하고 있는 나 자신이 우스꽝스럽기만 하다.

나만 아프다. 그는 미처 모른 듯 어제와 오늘이 내일이 같은 날인 듯 평온해 보였다.

아프기 시작했다. 알지 못하리라 가늠조차 되지 않는 이런 가슴 아픔을... 아프지 않으려 억지스러운 때를 써볼수록 아픔에 깊이는 더욱 커져만 가는 듯 보였고 그 끝에 서 있는 나는 겁을 잔뜩 집어삼킨 아이처럼 꺼이꺼이 소리 내 울고 있었다.

내 안에 나에게 소리치며 다독였다. 그냥 아파하라고 아파 죽을 것 같을 때까지 온전히 아파지라고 그런 내가 가여워 다시 외쳤다 살아보자고 살아 내자고 그리고 살아지겠지.

때론 살면서 죽음의 순간이 필요할 때가 있을거라 생각했었다. 그 순간이 지금이 아닐까 온통 머릿속을 채운 죽음에 그림자 어느 날 문득 사라질 수 있음을 마술처럼 느끼고 싶어졌다. 자고 싶다. 잠 속으로 도피하고 싶은 절실함과 깨어난 뒤에 밀려드는 절망감은 어찌할지 모르겠지만 잘 견뎌내고 있다고만 생각 했었다.

한숨을 몰아내 쉬어 보고 그때야 알았다. 숨이 잘 쉬어지지 않는다는 걸

끊어질 듯 배가 아파왔다. 떠올려보니 먹지도 자지도 못했다.

배고픔은 아픔을 동반 했지만 식욕을 주지는 못했었다.

갑작스러운 배고픔이 밀려와 미친 듯이 달려가 냉장고를 열어 보았지만. 기대와는 달리 정신이 나가 있던 집안엔 음식에 흔적은 그다지 남아 있지 않았다.

급하게 라면 이라도... 생각과는 달리 이미 손은 또 다시 커피를 타고 있었다.

쓰디쓴 커피조차 달게 느껴진다. 일련에 모든 것들이 가짜 아픔이라고 우겨보고 싶다.

부활을 꿈꿔보지만. 억지스런 상상력은 순식간에 보잘것없음을 감지 하게 되고 거울 속 나는 초라하고 참 볼품없었다. 내 눈에 담기에도 부담스러울 만큼 변해 있었다.

변신이라 칭해도 될만큼... 유년시절 읽어 내려갔던 프란츠 카프카의 변신은 실로 충격 이였다. 하루아침에 벌레로 변신 하지만 자신을 받아들이고 살아 보겠다고 발버둥 치는 가엾은 모습이 내 모습과도 같이 세월 속에 그렇게 변신해 있었다. 내가 버거운 만큼 그도 나의 변신을 받아 들이기 버거웠던 모양이다. 누구 에게든 숨기고 싶어 하는 본능을 들키고 마는걸 보면 그렇게 나는 인간에 모습에서 벌레 취급 받는 인간 벌레가 되어 살아 내고 있었는지도 모르겠다. 오롯이 온

몸으로 맞아야만 했던 비수는 온몸을 만신창이로 만들었고 혼자만이 억울하다 느낄 때쯤 가족들도 나의 존재를 참아내고 있었다는 걸 깨달았다.

여자로 태어나 남자에게 평생 여자 이고 싶었다. 비록 지금은 변신 했지만 나의 나태함이 나의 생활 태도가 나의 대응능력이 변신은 정해진 수순 이였는지도 모르겠다.

존재만으로 가치를 인정받는다는 건 무안 반복되는 고단함을 이겨 낸 자들의 승리이다.

난 이미 패배한 삶을 살아 내보겠다고 억지를 부리고 있는지도 모르겠다.

모르겠다... 모르겠다... 의문투성이인 이 삶은 누구의 삶인지. 주인 없는 나로 산건지...

정답을 찾아가며 살아 가던 삶은 고단하지만, 때론 보물찾기처럼 꿀맛을 맛보게도 해주었고 정답 없는 미지수의 세계 속에 빠져들었을 땐 암흑 속에서 헤매듯 장님이 된 듯 까마득해져 오기도 했었다. 살면서 정답 없는 삶이 더 많다는 걸 어린 나이엔 미처 몰랐었다. 어쩌다 맞은 큐피드의 화살도 요정의 실수로 눈에 바른 묘약 그 어디에도 이런 약관은 없었기에.

30년의 길들여짐은 망각의 동물로 만들어 버리는지 익숙함은 쉽사리 돌이키지 못했고 여우에 말처럼 특별한 관계를 맺어 서로에게 소중한 존재가 되고 그러나 쉽게 잊히기도 해서 눈물 흘릴 각오 정도는 해야 했다는 걸….

내게 가시가 돋아 있다는 이유로 버려진다는 게 얼마나 어리석은 짓인지.

어린 장미였던 나에겐 가시가 돋아 있지 않았지. 꽃을 피우기 위해 가시가 필요 했던 거지.

서로를 어루만지거나 향기를 맡기 위해선 조심히 다루었어야 해 라고 울부짖고 싶었다. 그러나 그에겐 단 한마디도 하지 못했다. 삶의 고단함으로 생긴 나의 가시가 아집과 고집으로 생겨난 뿔 정도로 여겨지는 듯했기 때문이다. 오랜 세월 길든 나를 버리고 온전히 나인 나로 돌아오고 싶어졌다. 파란 하늘 위로 한 줄 비행기가 날아갈 때쯤 그 안에 나를 싣고 사라져 버리리라 한 톨의 흔적도 남기지 않고 흩어져 버리리라.

끝까지 아닌척하고 싶다. 확인하고 싶지 않다. 알고 싶지 않다.

위안이 필요했다. 확답과도 같은... 쿨해지고 싶었다. 그럴줄 알았다.

그렇게 두 가지 마음이 존재하며 공존 했다. 무엇이 옳고 그름인지 가늠하지 못하는 상태로 술을 마시지 못하는 나는 술의 힘이라도 빌려 모든 아픔을 소멸 시키고 싶었다.

첫맛은 썼지만 달콤함도 선물해 준다는 신의 한 방울.

신선했다. 무한대의 힘을 지닌 알코올은 혼란스러운 마음에 또 없을 신세계를 선물하며 찰나의 순간을 무로 만들어 버리는 도구일 수 있음을 깨달았다. 허나 신은 한 가지만을 주지 않는지 모든 것엔 그 대가가 있었다.

썰물처럼 밀려드는 고독함은 온통 내 몫이 되어 밀물 이였던 그는
썰물이 되어 확실한 아픔으로 내 뇌리에 독을 퍼트리고 빠져나가고
있었다.

다시 한번 머리를 쓸어 올려 보았다. 정신이 혼미하다. 경직된
팔다리 이런 기분이 꼭 싫지만은 않다고 그래서 오래 지속되길 바란
다고.

내가 누구였는지 모르겠기에 그가 그가 아닌 듯하기에

손등이 가렵기 시작했다. 단순한 손등 가려움증은 나를 도발하게
했고 기어코 긁어 부스럼을 만들기 시작했다. 나는 왜 그랬을까. 곪
기 시작해 조금만 기다리면 자연스럽게 딱쟁이가 앉아 가라앉을 수
있음을 알면서도 마음 답은 정해져 있었음에도 피를 보고야 만다는
것을 상처가 아물기도 전에 또 다른 상처를 만든 다는걸 ...상처는 덫
을 만들었고 또 다른 상처를 만들어냈다. 그 덫에 걸려들고 만 건 나
였다. 그러길 바랬는지도 그렇게 나 스스로를 망가트리고 싶어 안달
이 났는지도 아가리를 벌리고 있는 꼴이란 참 볼품없었다. 주는 이
가 없었다. 참으로 비참하기 그지없다. 기다리는 자의 참담함이란.

해가 지고 있다. 두려움에 대상이 스멀스멀 내 뒤를 밝고 있을 어
느 때쯤.. 나는 맘껏 슬퍼하지도 아파하지도 못했다. 내 온몸을 가
누기도 힘들어질 때쯤 눈물이 말라 사막화 되어가고 있었다. 사막화
된 모래알은 내 몸을 휘감으며 또 다른 고통의 사막 늪으로 빠져들게
했다.

나쁘지 않았다.

화창한 봄날 같은 가을날에 이별한다는 게
남은 인생이 찬밥이어도 좋다.
나의 결론은 헤어짐 이였다.

오해와 진실의 덫 (내면 살인)

어둠과 함께 비가 추적추적 쌓여가고 있었다. 욕실 한켠에 숨어져
있는 그가 애용하는 면도날을 꺼내 들었다. 손이 부들부들 떨려 이내
바닥에 떨어뜨리고 말았다. 주울 힘조차 말라버린 내 마음은 유연히
대처할 수 없어 축축한 바닥에 그대로 주저앉고 말았다. 정신을 부
여잡고 온 힘을 다해 면도날을 다시 집어 들었을 땐 이미 내 손은 피를
보고야 말았다. 피를 보니 또 다른 내면에서의 울림이 솟구쳐 올라
왔다.

내가 갖지 못한다면 그 누구와도 나누지 않겠다는 다짐과도 같은
것이었다.

실행에 앞서 마음이 급해진 난 서둘러 약통을 찾아 밴드를 붙이고
멈추지 않는 피를 막기 위해 붕대를 칭칭 감아 버렸다. 더 이상 피는
보이지 않았다.

비 오는 날 그가 강아지 산책시킬 때 입곤 했던 검은색 우비를 챙겨
입고 운동화 끈을 질끈 동여매고 차 열쇠를 주머니 깊숙이 찔러 넣었
다. 휴대폰을 꺼내든 난 다시 한번 그의 위치를 확인해 보았다. 근

처에 모텔 명들이 몇 군데 내 시야에 확연히 들어왔다.

시동을 켜고 주머니 속을 다시 한번 확인 했을땐 면도날은 한껏 날을 새우곤 내 손길이라도 기다린다는 듯 계속되는 울림에 신호를 보내고 있었다. 그럼에도 내 손끝은 미세하게 떨리고 있었다. 흔들리는 마음에 다짐이라도 하듯 온 힘을 다해 있는 힘껏 악셀 패달을 밟아 보았다. 순간 이동에 반응한 내 몸은 앞과 뒤를 오가며 휘청였다. 정신이 번쩍 들었을 때쯤 나는 이미 어딘지도 모를 골목에 다다라 있었다. 계속 되는 빗줄기는 시야를 가려 휴대폰 속 위치를 찾기가 그리 녹록지만은 않았다. 편의점이 눈에 아른 거렸다. 문을 열고 들어가니 졸고 있던 종업원은 귀찮은 듯 실눈을 뜨고 살짝 나를 바라본 뒤 자리를 고쳐잡곤 이내 다시 졸기 시작했다.

냉장고를 열어 커피 한 개를 꺼내 들고 가는 도중 걸음을 멈추게 한 건 다양한 종류들의 콘돔들이 자기 자신들을 뽐내기라도 하듯 화려한 자태를 하고 있는 코너에서 였다. 모텔들이 즐비하게 있는 곳인 만큼 공급이 많아야 하겠지. 헛웃음이 새어 나왔다.

계산을 마치고 나온 나는 무작정 주차장을 돌며 찾아보기로 했다.

첫 번째 집 두 번째 집 세 번째 집 네 번째 주차장을 돌 때쯤 익숙한 차가 나를 속이듯 그곳에 붙박이처럼 처박혀 있었다. 실망도 아닌 절망도 아닌 이 미묘하게 겪어보지 못한 감정의 소용돌이를... 적을 발견이라도 한 듯 죽일 듯 달려들어야만 했다. 충격과 함께 천둥이 울렸고 그의 차 앞 범퍼가 힘없이 매달려 있었다. 차를 후진 시킨 뒤 아무렇지 않은 듯 객실로 가는 계단을 올라가 프런트에 창문을 두

들겼다. 자다 깬 부스스한 눈빛에 주인은 자동화 기계처럼 금액을 부르고 방 열쇠를 건넸다.

"저기요. 그게 아니라 제가 그만 주차된 차를 박았어요. 그 차 주인을 만나 얘기를 좀 해야 할 듯한데. 몇호실이죠.?"

내 말을 듣자마자 화들짝 잠이 깬 주인은 화가 나는 듯 문을 벌컥 열고 나와서는 서 있는 나를 밀치며 눈이 없냐, 왜 남의 차를 박냐며 쏜살같이 지하 계단을 내려가 사고 난 차를 확인하곤 씩씩거리며 계단을 올라오고 있었다. 계속되는 면박에 비가 와서 미끄러졌다는 핑계를 대며 읍소하는 나에게 조금은 누그러지는 듯 방호실을 찾고 있었다. 혼잣말처럼 302호네. 라는 말을 흘린 주인은 따라오라며 엘리베이터 버튼을 눌렀다. 어색한 엘리베이터에서 몇초는 나의 심장을 두방망이질 치게 해댔고 층수를 올라갈수록 두 다리는 힘이 빠져나가 후들 거리기 시작했다. '띵' 하는 도착 신호음과 함께 엘리베이터 문이 열리고 재빠르게 빠져나간 주인의 뒷모습을 멍하니 바라보던 나는 갈 길을 잃은 길고양이처럼 뻣뻣하게 굳어 가고 있었다. 문이 닫힐 때쯤 뒤돌아본 주인은 챙망 이라도 하듯 거듭 손짓하며 나를 불러대고 있었다.

"내가 먼저 얘기 해볼테니 너무 겁먹지 말고" 라는 말이 끝나기도 전에 벨을 누른 주인은 나와 같이 죄인이라도 된 듯 두 손을 공손히 모으고 문이 열리기만을 기다리고 있었다.

안에서 나지막한 여자의 음성이 들려왔다.

"누구세요...?"

"모텔 주인입니다. 잠시 나와 주셔야 할 듯합니다."

"무슨 일이신대요.? 주차 하신 차에 문제가 생겼습니다."

이내 문이 빼꼼히 열리고 급하게 대충 걸쳐 입은 옷을 추스르며 여자는 부끄러운 듯 얼굴을 내밀었다. 언젠가 남편의 휴대폰에서 본 산행 단체 사진 속 낯선 얼굴이 어렴풋이 보였다. 주인은 허리를 굽히듯 그녀에게 인사하며 나긋나긋한 목소리로

"이분이 주차하다 그만 차주분 차를 살짝 박았다고 합니다. "

주인의 말이 끝나기도 전에 나는 한 발짝 그녀에게 다가가 서둘러 말했다.

"보험처리를 해야 할 것 같아요. 인적 사항을 알려드리죠."

여자는 당황스러움과 불편함을 여실히 드러내더니 내게 내뱉은 첫 말은

"제 차가 아닌데." 말끝을 흐리던 그녀는 문 쪽을 한번 돌아보곤

"자고 있는데…." 라며 또다시 말끝을 잘라 먹고 있었다.

잠시 주저 하던 여자는 내게 손을 내밀며 연락처를 달라고 했다.

때마침 아래층에서 문 열리는 소리와 동시에 두 남녀의 음성이 들려왔다. 주인은 잘됐다는 듯 어색한 웃음을 흘리더니 손님을 핑계로 홀연히 사라져 버렸다. 이 무거운 침묵이 싫었던 나는 팬과 메모지가 없다는 시늉을 보이며 방에서 가져와 주길 부탁 했다. 그래야 저 철벽 문이 열릴테니. 생각을 정리 하던 여자는 이내 할 수 없다는 듯 키를 대고 문을 여는 순간 나는 있는 힘껏 그 여자를 안으로 밀어 넣었다. 중심을 잃은 여자는 크지도 작지도 않은 "악" 소리를 내며 고꾸라

져 넘어지려는 그녀를 순간 낚아채 열려 있는 욕실로 밀어 넣었다.

재빨리 문을 닫고 침대를 확인한 나는 그의 평화롭게 자는 모습을 보고야 말았다.

분명한 분노는 내 손끝에서 느껴지던 면도날의 날카로움이 되어 내 심장을 들뜨게 했다. 힘을 주어 문을 열려는 여자를 작심이라도 하듯 힘껏 밀치며 안으로 들어갔다. 반동에 밀려난 여자는 세면기에 부딪히며 그대로 내동댕이쳐졌다. 소리를 내지르며 넘어진 그녀를 빠르게 올라타 그녀의 목을 한 쪽 팔로 한껏 짓누르고 주머니 속 깊숙이 잠자고 있던 날카로움의 분노를 꺼내 들어 순식간에 그녀의 목을 가차 없이 그어 버리자, 내가 아침에 보았던 그 붉은 피가 막혔던 물꼬가 터지듯 흘러넘치기 시작했다. 입고 있던 하얀 가운이 새빨갛게 물들어 버렸다. 그여자는 무어라 말하고 싶어했지만.. 목에선 둔탁한 쇳소리만을 내고 있었고 팔과 다리는 허공을 허우적대고 있었다.

보잘것없는 그 여자를 버리듯 일어나 세면기에 손을 닦았다. 경멸에 눈으로 내려다보는 나에게 그 여자는 수많은 의문의 눈빛을 보내고 있었고 최선을 다해서 설명해 주리라 마음먹은 나는 최대한 측은한 마음을 표현하며 한쪽 무릎을 꿇고 나지막이 속삭여 주었다.

그의 아내였으며 친구였고 동지였으며 같은 길을 함께 손잡고 걸어가던 영원한 내 편 이였다.

"너 따위가... 감히 상상도 할 수 없는…. 우리의 30년을…"

참을수 없는 분노는 고통을 느끼듯 목구멍을 긁어대며 말끝을 흐리게 만들었다.

"고귀했던 매 순간들을 한낱 물거품으로 만들어버린 너희들을 내가 있는 이 지옥 밭으로 이끌어야 했지." 뜨거운 한숨이 토해져 나왔다.

"어때.. 뜨거웠니 ?"

"나 또한 이 뜨거운 곳에서 다 타들어 갈 때 까지 간신히 숨만 쉬고 있었는데 그렇게 난 다 타서 없어졌거든..." 죽일 듯 쏘아보는 내게 그 여자는 할 말을 잃은 듯 보였다.

그 말을 끝으로 욕실 문을 열고 나와 여전히 자고 있는 내 남자를 잠시나마 내려다보고 있었다. 잠귀가 어둡던 그는 평화롭고 그 어느때보다 행복한 모습이었다.

이불을 젖히자, 팬티만 걸쳐 입고 자는 몸이 고스란히 들어났다. 나만이 볼 수 있었던 그 특권을 욕실에서 피를 흘리며 허우적대는 저 것과 함께 했다니 갑자기 구토가 밀려 올라왔다. 그것도 잠시 잠에서 깨려는 그의 배에 재빠르게 올라탔다. 깜짝 놀람과 동시에 어리둥절하여 잠이 깬 그는 처음엔 멍하다 이내 나를 알아본 그는 적잖이 놀라고 충격에 빠진 듯 보였다. 지옥으로 함께 이끌어야 하는 그에게 잠시 연민의 정이 느껴져 내 눈이 흐려질 때쯤 몸에서 소름이 끼쳐 왔다. 내 안에 나에게 소리치며 울부짖고 있었다. 면죄부는 없다고.. 우리 모두 다 같이 지옥 밭으로 가는 거라고... 손은 이미 날카로운 분노를 꺼내 휘두르고 있었다. 무방비 상태였던 그는 놀라움과 동시에 믿을 수 없다는 듯 검붉은 피가 흐르는 목을 움켜 쥐었다. 잠시 흔들리던 그는 체념한 듯 미안한 듯 원망하는 듯 모든 표정을 다 표현 해내곤 아무 말 없이 두 눈을 꼭 감아 버렸다.

지옥에 문은 그렇게 닫혀 가고 있었다.

벽시계를 보니 10분 정도가 흘러 있었다.

그들을 뒤로한 채 발길을 돌린 난 긴 터널과도 같은 어둠 속 빗길을 내 달리고 있었다.

밤과 같은 낮잠

어렴풋이 벨 소리가 들려왔다. 꿈인지 생시인지 인지 하지 못할 때쯤 나도 모르게 화들짝 놀라 소파에서 퉁겨져 오르듯 일어나 앉았다. 밖은 어슴푸레하게 빗속으로 녹아들고 있었다. 인터폰에선 누군가 찾아와 뭐라 뭐라 얘기를 했지만 무슨 말을 하는 건지 도통알아들을 수가 없다. 찰나에 순간 생각이 미치자 심장이 뛰기 시작했다. 벌써 경찰이라도 찾아온 건가. 손발이 저리며 몸이 납덩이처럼 굳기 시작하더니 움직여지질 않았다. 또 다시 인터폰이 울리고 화면 저편에선 목청 높여 재촉하듯 떠들고 있었다. 그 소리는 현관문을 넘어 집 안까지 울려 퍼졌다. 심장의 떨림 만큼 조급해진 나는 납덩이처럼 굳어 버린 다리를 억지로 질질 끌어내 현관문을 힘겹게 열었다. 기다림에 짜증이 난 제복 입은 남자는 미간을 잔뜩 찌푸리며 냉소적인 어투로 말했다.

"전철씨 댁이죠 ?"

멍하니 바로 답하지 못하는 나를 쏘아보듯 바라보던 남자는 더욱 까칠해진 말투로 물었다.

"1004동 701호 전철씨 댁 아닌가요 ?"

"아... 네 맞아요..!"

말이 끝나기가 무섭게 제복 입은 남자는 손에 들고 있던 봉투를 하나 내게 건넸다.

"법원 송달 우편 입니다."

맨발로 서 있는 나를 그때야 발견한 남자는 미안한 듯 서둘러 인사를 하곤 사라져 갔다. 그때 까지도 나는 잠에서 깨어나지 못한 듯하다.

봄날 같은 가을날의 이별

꽝하고 문이 닫히자 나와 관련 없는 우편물을 책상에 버리듯 던져 버리고 곧바로 화장실로 가 샤워기를 틀어 발을 닦다 내 손이 멀쩡하다는 걸 눈치챘다. 서둘러 서랍장을 열어 보니 면도날은 그 자리에 그대로 날을 세우고 얌전히 주인의 손길을 기다리는 듯 보였다. 갑자기 목이 타들어 가듯 갈증이 느껴져 발을 대충 마른 수건에 닦고 서둘러 냉장고를 열고 컵도 없이 물병을 집어삼킬 듯 들이켰다. 급하게 마신 탓인지 사례가 들려 기침을 한동안 해야 했다. 안도의 한숨인지 모를 긴 숨을 몰아 쉬고 쇼파에 깊숙이 눕듯이 앉았다. 언제 켜져 있었는지 모르는 TV에선 뉴스가 나오고 있었다. 다음 뉴스입니다. 강원도로 단풍놀이를 갔던 관광버스가 30M 아래로 추락하는 대형 참사가 났습니다.   김대천 기자가 보도 합니다.   라는 말과 함께 현장 모습이 보도 되고 있었다. 넋을 잃고 화면을 주시하던 그때 현관문 키 누르는 소리가 들렸다.

동화림(冬話林) ; 겨울에 시작된 이야기 숲

발행 2024년 3월 5일

지은이 권오영, 김려원, 박철용, 文 景, 표승희, 제이엘

라이팅리더 현해원

디자인 윤소현

펴낸이 정원우

펴낸곳 글ego

출판등록 2019.06.21 (제2019-67호)

주소 서울시 강남구 강남대로 118길 24 3층

이메일 writing4ego@gmail.com

홈페이지 http://egowriting.com

인스타그램 @egowriting

ISBN 979-11-6666-453-3